やった分だけ得をする！

開業医・医療法人……すべてのドクターのための 節税対策パーフェクト・マニュアル

増補改訂2版

税理士法人　和
社会保険労務士法人　和

はじめに

いわゆる団塊の世代全員が75歳以上となり、超高齢社会が訪れる2025年まで、あと数年となってきました。さらに2040年頃には、いわゆる団塊ジュニア世代が65歳以上の高齢者となり、高齢者人口がピークを迎えるとともに、現役世代が急激に減少していくことになります。このようななかで、全世代型社会保障の構築がいわれ議論が進められています。

また、昨今の新型コロナウイルス禍では、各医療機関において、発熱患者さんへの対応、診療材料の確保、ワクチン接種の実施などさまざまな用務を求められました。

今後ますます医療機関の役割分担が進み、より患者さんそれぞれの状況に合わせた医療の提供が求められることになるでしょう。

医療提供の体制確保にあたっては、現役世代の減少により、医院においても人材の確保がむずかしくなるものと予想されます。今後、人材を確保していくためには、賃金水準の適正化、福利厚生の充実、多様な働き方への対応などさまざまな取組みをしていく必要があります。医療分野における効率化も求められており、ICT化や電子化も進めていかなければなりません。

これら医院経営に求められることに対応していくためには、「お金」が必要になってきます。どの医療機関においても潤沢な資金があり設備や人材にいくらでも使えるという状況ではなくなってきています。さまざまな課題についてどのように資金を振り向けていくのか、「選択と集中」が必要でしょう。こうした資金の確保のためにも、税制上認められる方法によって、脱税ではなく節税を行ない、医院の運営資金を残していくことが大切になります。

本書は2010年5月に刊行され、2016年7月に増補改訂したものに、さらに税制改正等による既存項目の見直しを行ない、また、昨今注目されている補助金の活用やインボイス制度などの新項目を追加したものです。

人材投資や設備投資等、医院経営におけるさまざまな場面で上手に税制を活用するための参考書としてご活用ください。本書が先生の経営判断のひとつの指標となり、貴院の発展に少しでも貢献できれば幸いです。

令和4年9月

税理士法人和　医業経営支援事業部

中村　和弘

開業医・医療法人……
すべてのドクターのための
節税対策 増補改訂2版
パーフェクト・マニュアル

INDEX
もくじ

第1章

いますぐできるカンタン節税策

これだけはすぐに手を打とう

（わずかな手間で大きな効果が得られる）

第3章

人件費で上手にできる節税策

家族・親族にまつわる工夫

（従業員に関する対応）

（社会保険を巧みに使おう）

第4章
医療法人だからできる節税策
医療法人設立を生かす

第5章
ついつい忘れがちな節税策

こんなこともお忘れなく

第6章
カン違いをなくせばまだまだできる節税策

(こんな間違いをなくしましょう)

付 録

装丁　花本 浩一
本文デザイン・ＤＴＰ　杉本 昭生（ぢゃむ）
校正　新谷有紀子
編集協力　中山 秀樹（株式会社ＨＲＳ総合研究所）

基本解説

税金の仕組み

節税対策を講じるうえで、基本として理解しておいていただきたい税金の仕組みを、わかりやすくまとめておきます。

診療所において課税される税目は、個人開業医か医療法人かで、所得税か法人税かという大きな違いがあります。

ほかの税目については経営形態が異なってもとくに大きな違いはありません。整理すると、つぎの表のようになります。

	経営形態	課税される税目					
		国　税		地　方　税			
診療所	開 業 医	所得税	消費税	住民税	事業税	地方消費税	その他消費税
	医療法人	法人税					

それでは、所得税の仕組みと法人税の仕組みを簡単に説明しておきます。

■所得税の算出の仕組み

所得税は、個人の所得に対してかかる税金です。１年間のすべての所得から所得控除を差し引いた残りが課税所得。この課税所得に税率を適用して税額を計算します。

〈所得金額の計算〉

所得は、その性質によってつぎの10種類に分かれています。それぞれの所得について、収入や必要経費の範囲、あるいは所得の計算方法などが定められています。

① 利子所得　② 配当所得　③ 不動産所得　④ 事業所得　⑤ 給与所得
⑥ 退職所得　⑦ 山林所得　⑧ 譲渡所得　⑨ 一時所得　⑩ 雑所得

〈課税所得金額の計算〉

課税所得金額は、1月1日から12月31日までの1年間のすべての所得から所得控除額を差し引いて算出します。

所得控除とは、扶養家族が何人いるかなどの個人的な事情を加味して税負担を調整するもので、次の種類があります。

① 雑損控除
② 医療費控除
③ 社会保険料控除
④ 小規模企業共済等掛金控除
⑤ 生命保険料控除
⑥ 地震保険料控除
⑦ 寄附金控除
⑧ 障害者控除
⑨ 寡婦控除・ひとり親控除
⑩ 勤労学生控除
⑪ 配偶者控除
⑫ 配偶者特別控除
⑬ 扶養控除
⑭ 基礎控除（48万円）

〈所得税額の計算〉

所得税額は、課税所得金額に税率を適用して計算します。

◎超過累進税率

税率は、税の支払能力の差から、所得が多くなるにしたがって段階的に高くなる仕組みになっています。

所得税額速算表（所法89①）

課税総所得金額等		税　率	控　除　額
超	以　下		
	195万円	5％	0円
195万円	330万円	10％	97, 500円
330万円	695万円	20％	427, 500円
695万円	900万円	23％	636, 000円
900万円	1,800万円	33％	1, 536, 000円
1,800万円	4,000万円	40％	2, 796, 000円
4,000万円		45％	4,796, 000円

※土地建物等や株式等の譲渡所得など他の所得と区分して税額を計算する所得もあります。

〈申告納税額の計算〉

申告納税額は、所得税額から配当控除、住宅借入金等特別控除（第5章「住宅ローン控除」参照）、源泉徴収税額などを差し引いて計算します。

〈所得税の確定申告〉

所得税は、自ら税法にしたがって所得と税額を正しく計算し、納税する「申告納税制度」を採用しており、代理できるのは税理士に限られています。

所得税の確定申告期間は、2月16日から同年3月15日までです。

〈申告納税額の算出方法〉

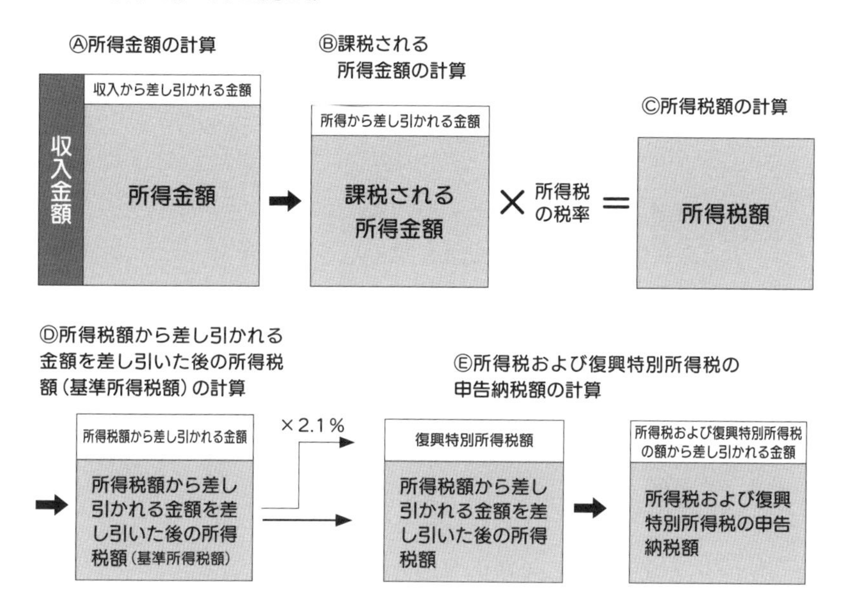

【参考】個人住民税は所得に対する所得割額と、所得に関係なく課税される均等割額の合計額であり、所得割の税率は、都道府県民税4％、市町村民税6％の合計10％です。

■法人税の算出の仕組み

〈課税される所得〉

法人税は、利益に課税する税目で、計算構造は次の式のようになります。

収益の合計－費用等の合計＝課税される利益（課税所得）

イメージを示すと、以下のようになります。

収益　社会保険診療報酬
国民健康保険診療報酬
窓口診療収入
自由診療収入
その他の収入

＝収益の合計

費用・原価　薬品費・材料費
役員報酬・給与など人件費
福利厚生費
修繕費・消耗品費
交際費・会議費
管理費・顧問料
その他各種費用

損失　薬品の廃棄損
その他雑損失
＝費用等の合計

＝課税される利益（課税所得）

会計的には収益、費用として計上したものが、税法では認められないという例がありますが、概要をつかんでいただくことを目的としていますので、ここでは省略します。また、会計上の収益、費用に当たるものを法人税法では次の表のように呼びます。

会計上	法人税
収　益	益　金
原価・費用・損失	損　金

〈法人税額の計算〉

法人税の計算は、課税所得金額に法人税率をかけて計算します。

その税率は、法人の種類によって異なります。下記のとおりです。

<table>
<tr><td rowspan="3">普通法人</td><td rowspan="2">資本金1億円以下</td><td colspan="2">年800万円以下</td><td>15.0%</td></tr>
<tr><td colspan="2">年800万円超</td><td>23.2%</td></tr>
<tr><td colspan="3">資本金1億円超及び相互会社</td><td>23.2%</td></tr>
<tr><td colspan="2" rowspan="2">協同組合等</td><td colspan="2">年800万円以下</td><td>15.0%</td></tr>
<tr><td colspan="2">年800万円超</td><td>19.0%</td></tr>
<tr><td rowspan="4">公益法人等</td><td rowspan="2">一定の公益法人等</td><td rowspan="6">収益事業から生じた所得</td><td>年800万円以下</td><td>15.0%</td></tr>
<tr><td>年800万円超</td><td>23.2%</td></tr>
<tr><td rowspan="2">上記以外の公益法人等</td><td>年800万円以下</td><td>15.0%</td></tr>
<tr><td>年800万円超</td><td>19.0%</td></tr>
<tr><td colspan="2" rowspan="2">人格のない社団等</td><td>年800万円以下</td><td>15.0%</td></tr>
<tr><td>年800万円超</td><td>23.2%</td></tr>
<tr><td colspan="2" rowspan="2">特定の医療法人</td><td colspan="2">年800万円以下</td><td>15.0%</td></tr>
<tr><td colspan="2">年800万円超</td><td>19.0%</td></tr>
</table>

なお、平成31年4月1日以降に開始する事業年度において適用除外事業者（その事業年度開始の日前3年以内に終了した各事業年度の所得金額の年平均額が15億円を超える法人等をいいます）に該当する法人の年800万円以下の部分については、19％の税率が適用されます。

本書の特長と使い方

本書では、109の項目を取り上げています。こうすれば節税が可能ですよ、という対策を示すだけではなく、税金についての理解を深めていただけるように、さらには病医院の経営の改善・強化に役立つように、できるだけ情報と解説を含めました。

節税については、それぞれの対策の効果と難易度を☺☹で示しています。およそつぎのような目安でとらえてください。

節税効果

☺☺☺☺☺（1つ）	チリも積もれば
☺☺☺☺☺（2つ）	とりあえずやってみよう
☺☺☺☺☺（3つ）	それなりに効果あり
☺☺☺☺☺（4つ）	いい感じです
☺☺☺☺☺（5つ）	やらなきゃ損です

節税難易度

☹☹☹☹☹（1つ）	自分でできる
☹☹☹☹☹（2つ）	税理士に聞けばすぐできる
☹☹☹☹☹（3つ）	準備して進める必要あり
☹☹☹☹☹（4つ）	検討が必要
☹☹☹☹☹（5つ）	慎重な検討が必要

第1章

いまやすぐできる カンタン節税策

いますぐ自分でできる節税対策の基本項目です。
これだけは対応しておきましょう。
確定申告・決算直前の基本対策もあります。

小規模企業共済への加入

掛金全額が所得控除、貯金して税金を減らす！

節税効果 ☺☺☺☺☺
節税難易度 ☹☹☹☹☹

小規模企業共済制度をご存じでしょうか。廃業したときや会社役員の退職後に備えて生活資金を積み立てておく共済制度で、国が全額出資している独立行政法人中小企業基盤整備機構が、小規模企業共済法に基づいて運営しているものです。

この共済は、つぎのような特長を備えていますから、おカネを貯めながら節税にもつながるという、すぐれものの制度です。

■加入資格

1. 加入できる方

小規模企業共済に加入できるのは、つぎの条件に該当する小規模企業者です。

- 常時使用する従業員の数が20人以下の建設業、製造業、運輸業、不動産業、農業等の個人事業主または会社の役員
- 常時使用する従業員の数が5人以下の商業（卸売業・小売業）、サービス業の個人事業主または会社の役員
- 事業に従事する組合員の数が20人以下の企業組合の役員
- 常時使用する従業員の数が20人以下の協業組合の役員
- 常時使用する従業員の数が20人以下であって、農業の経営を主として行なっている農事組合法人の役員
- 常時使用する従業員の数が5人以下の弁護士法人、税理士法人の士業法人の社員
- 上記の共同経営者

※小規模企業共済法の改正により、個人事業主の配偶者や後継者といった共同経営者も加入できるようになりました。
※個人事業主の親族でなくても、共同経営者であれば加入できます。

2. 加入できない方

つぎのいずれかに該当する方は加入できませんのでご注意ください。

- 共同経営者でない配偶者などの事業専従者（個人事業主とみなされません）
- 協同組合、医療法人、学校法人、宗教法人、社会福祉法人、社団法人、財団法人、NPO法人（特定非営利活動法人）などの直接営利を目的としない法人の役員など
- サラリーマン（給与所得を得ている方）が副業的にマンション・アパートを経営している場合など
- 会社などの役員とみなされる方であっても、商業登記簿謄本に役員登記されていない方（相談役、顧問その他実質的な経営者）
- 生命保険外務員など

■掛金

1. 掛金月額

毎月の掛金は、1,000円から70,000円の範囲（500円単位）で自由に選択できます。

2. 掛金の納付方法

掛金は預金口座振替での払い込みとなります。掛金の払い込み方法（払込区分）は「月払い」「半年払い」「年払い」から選択できます。

3. 掛金の税法上の取扱い

払い込んだ掛金は税法上、全額を「小規模企業共済等掛金控除」

として、課税対象となる所得から控除できます。また、1年以内の掛金の前払い分も同様に控除できます。

たとえば12月に1年分の掛金を前払いすれば、支払った年から所得控除が可能になるのです。

課税される所得金額	加入前の税額		掛金月額ごとの加入後の節税額			
	所得税	住民税	1万円	3万円	5万円	7万円
200万円	104,600円	205,000円	20,700円	56,900円	93,200円	129,400円
400万円	380,300円	405,000円	36,500円	109,500円	182,500円	241,300円
600万円	788,700円	605,000円	36,500円	109,500円	182,500円	255,600円
800万円	1,229,200円	805,000円	40,100円	120,500円	200,900円	281,200円
1000万円	1,801,500円	1,005,000円	52,400円	157,300円	262,200円	367,000円

※所得税は復興特別所得税を含めて計算しています。

Point

廃業時・退職時に、共済金を受け取ることができます。受け取り方法は一括・分割・併用のいずれかを選べます。
共済金は税法上「退職所得扱い」または「公的年金等の雑所得扱い」となります。
掛金は毎月1,000円～70,000円の範囲内で自由に選べ、全額所得控除となります。
事業資金等の貸付制度が利用できます（担保・保証人は不要）。地震、台風、火災等の災害時にも貸付を受けられます。

02 中小企業倒産防止共済制度

倒産しないのに倒産防止共済!?
掛金は経費になるうえ全額戻ってくる

節税効果 ☺☺☺☺☺
節税難易度 ☹☹☹☹☹

小規模企業共済制度についてはすでにご説明しました。自身の廃業や退職に備える制度です。

独立行政法人中小企業基盤整備機構は、中小企業倒産防止共済制度（経営セーフティ共済）という制度も運営しています。中小企業倒産防止共済法に基づくものです。

この中小企業倒産防止共済制度は、本来は取引先が倒産し、売掛金債権等が回収困難になった際に貸付が受けられるというもので、病医院にはあまり関係のない制度に思われますが、個人診療所ではこの制度を利用し節税をすることが可能です。

小規模企業共済制度と同様、掛金は全額が税務上必要経費として認められます。

なお、医療法人は加入することができませんので、ご注意ください。

■掛金が経費になるうえ、全額戻ってくる

この制度の魅力は、掛金が経費になるうえに、掛金を40か月以上納付していれば掛金の全額が戻ってくるという点です。つまり、お金を貯めながら節税ができるのです。

そして掛金は前納できます。そのため1年分を前納すればその前納した全額が経費となるため、利益が多く出そうな場合の決算対策に利用できます。

たとえば所得に対する税率50％の人が月額20万円の掛金を1年分前納すると、

200,000円×12月×50％＝1,200,000円

つまり毎月20万円の貯蓄をしながら年間120万円の節税が可能となるのです。

ポイント1　12か月分以上掛金を納付していれば、自己都合の任意解約で掛金総額の80％以上の解約手当金が受け取れる。

ポイント2　取引先事業者が倒産して売掛金債権等が回収困難となった場合、貸付が受けられる。掛金は毎月5千円～20万円の範囲で自由に選べ、全額が必要経費または損金となる。

ポイント3　共済金の貸付は無担保・無保証人・無利子で、取引先事業者が倒産していなくても、急に資金が必要となった場合には「一時貸付金（有利子）」の制度がある。

■加入資格

引き続き1年以上事業を行なっている個人診療所（医療法人は加入不可）が加入できます。

- 個人事業主または会社で「資本金等の額」または「従業員数」の要件のいずれかに該当する方
- 企業組合、協業組合
- 事業協同組合、商工組合等で、共同生産、共同販売等の共同事業を行なっている組合

■解約

支払い時に経費になる代わりに、解約し共済金を受け取った場合はその年の収入となります。解約時期は自由に決めることができる

ため、大きな支出のある年や、閉院前など所得が少なくなるタイミングをみて解約しましょう。

■注意点

確定申告時に経費として計上するためには、「特定の基金に対する負担金等の必要経費算入に関する明細書」に必要事項を記入し、確定申告書に添付する必要があります。

Point

医療法人は加入できません。個人事業主のドクターは検討してみてはいかがでしょうか。
掛金が経費になり、40か月以上納付していれば掛金が全額戻ってきます。
解約して受け取った共済金は収入となるため、解約のタイミングを見定めましょう。万一の事態への備えができる制度です。

03 レセプトの審査減

診療報酬収入は、審査減後の金額で計上

節税効果 ☺☺☺☺☺
節税難易度 ☹☹☹☹☹

診療報酬収入の計上時期について、ご理解ください。

■診療報酬収入の収入計上時期

税務上、診療報酬の収入計上は発生主義に基づいて行なうことになっていますから、個々の診療日になります。診療報酬の請求額が入金したときでも、診療報酬を請求したときでもありません。

けれど、診療日個々に診療報酬を計上するのは困難であるため、実務上は、請求権発生の時点で収入に計上することとされています。

たとえば国保連合会や社会保険診療報酬支払基金に12月分の診療報酬を一括して翌月の1月7日ごろに請求するとします。この場合、その請求金額をもって12月分の収入として計上することになります。

■審査減があった場合

国保連合会や社会保険診療報酬支払基金に請求した金額が審査で減額入金されることがあると思います。その場合、「決定通知書」に基づいて審査減額を診療収入から控除しても、審査減額が著しく多額でなければ実務上認められています（多額な場合は、売上の計上もれなど、審査減以外の理由である可能性が考えられます）。決算日後に審査減の通知がきたら、診療収入を減額しておくことをおすすめします。

Point

審査減額を診療収入から控除すれば節税になります！

04 中古資産の利用

短い耐用年数で、早く償却できる

節税効果 ☺☺☺☺☺
節税難易度 ☹☹☹☹☹

建物や医療用設備などは固定資産に該当します。これらは何年にもわたって使用されるもので、その間の収益にずっと貢献するわけですから、購入した時点で一気に費用計上することはできません。使用するなどして価値が減少した（減価償却した）分だけ、「減価償却費」として、その期間の費用として計上することになります。税法では、時の経過とともに価値が下がると考えられ、その資産の使用可能期間（耐用年数）を見積もり、その期間内で償却していくことになっています。

まずこの減価償却の仕組みについて押さえておきましょう。

■減価償却の対象となる資産

つぎのような資産は、減価償却の対象になります。

区　分（種類）		例　示
有形固定資産	建物	医院用建物、従業員用宿舎
	建物附属設備	給排水設備、ガス設備、電気設備、冷暖房用設備、エレベーター、ドア自動開閉設備、消火設備
	構築物	門塀、舗装路面、庭園
	車両運搬具	乗用車、自動二輪車
	器具・備品	消毒殺菌用機器、レントゲン装置、応接セット
	機械・装置	機械式駐車場設備
無形固定資産		営業権、水道施設利用権、ソフトウェア

つぎのような資産は、減価償却の対象になりません。

区　分	例　示
時の経過により価値が減少しない資産	土地、借地権，書画、骨董貴金属
棚卸資産	医薬品、診療材料
少額の減価償却資産	使用可能期間が1年未満または取得価額が10万円未満の減価償却資産

■耐用年数の一例

では、減価償却の対象になる資産は、税法上、何年の使用期間とされているか、その耐用年数を確認しましょう。

病医院に関係する減価償却資産の耐用年数の一例

●建物

種　　類	耐用年数
鉄骨、鉄筋コンクリート造の建物	
診療所用のもの	39
事務所用のもの	50
住宅用のもの	47
木造の建物	
診療所用のもの	17
事務所用のもの	24
住宅用のもの	22

●建物附属設備

種　　類	耐用年数
電気設備	15
給排水または衛生設備およびガス設備	15

●車両運搬具

種　　類	耐用年数
乗用自動車	6
軽自動車 （総排気量が0.66リットル以下のもの）	4

●事務機器および通信機器など（器機・備品）

種　　類	耐用年数
応接セット	
接客業用のもの	5
電子計算機	
パーソナルコンピュータ （サーバー用のものを除く）	4
その他のもの	5

●病院用の器具・備品

種　　類	耐用年数
レントゲン装置	
診療撮影用X線装置	6
刺激装置および治療装置	
ペースメーカー	6
マッサージ器類	6
医用システム用機器	
心電図・心音図解析装置	6
消毒殺菌用機器	
包帯材料滅菌装置	4
殺菌線消毒器	4

■減価償却費の計算方法

計算方法はいくつかありますが、２種類の方法についてその特徴を簡単にまとめておきます。

	定額法	定率法
特　徴	償却費の額が原則として毎年同額となる	償却費の額は初めの年ほど多く、年とともに減少する

これら減価償却の計算方法は、新品購入等を前提としています。

さて、では中古の設備についてはどうなるのでしょう。中古の資産を購入しても、新品と同じ耐用年数、すなわち使用可能期間が新品も中古も同じだとして減価していくのはおかしいですよね。中古資産の場合は､次の計算方法で費用計上していくことになっています。

(原　則) 今後の使用期間を見積もって耐用年数とします。

(簡便法) 今後の使用期間を見積もるのがむずかしい場合の計算方法は下記のとおりです。

・法定耐用年数の一部が経過している場合

(法定耐用年数－経過年数) ＋ 経過年数×20／100 ＝ 耐用年数

・法定耐用年数の全部が経過している場合

法定耐用年数×20／100 ＝ 耐用年数

具体例を見てみましょう。クルマを買うとします。

①新車を購入した場合

６年

②経過年数３年の中古車を購入した場合

(6年－３年) ＋3年×20／100＝3.6→3年 (１年未満切り捨て)

③経過年数８年の中古車を購入した場合

6年×20／100＝1.2→2年 (2年未満は2年)

このように新品よりも中古のほうが耐用年数が短くなりますから、その分経費（減価償却費）計上を早く行なうことができ、節税につながるわけです。

Point

中古資産を活用しましょう。
医療機器などは安全面を考慮すると中古の導入はむずかしいかもしれませんが、往診で使用する車両や応接セットなどは中古の利用が十分に検討できるでしょう。

05 診療値引き

友人や家族に値引きしても、未収入金にしない

節税効果 ☺☺☺☺☺
節税難易度 ☹☹☹☹☹

スタッフや知人、家族等を診療したときに、窓口負担金を受け取らないケースがあるかと思います。これは「保険医療機関及び保険医療養担当規則」において禁止されている行為なのですが、ついついやってしまいがちです。

窓口負担金の減免（診療値引き）をした場合は、税務上の処理を適切に行なっておかなければ税務調査で問題になりかねません。スタッフや業者などの場合と、家族やプライベートな友人の場合とに分けて、処理のしかたを説明します。

■スタッフや業者など病院関係者に診療値引きをした場合

スタッフ等から本人の窓口負担金を徴収しなかった場合、その徴収しなかった負担金は未収入金として収入計上することになります。そしてこの負担金については、スタッフであれば福利厚生費として、医薬品卸業者など事業関係者であれば交際費として経費処理します。

■家族やプライベートの友人に診療値引きをした場合

家族等から本人の窓口負担金を徴収しなかった場合には、上記と同様に収入計上することになります。ただし個人事業の場合は、減免した窓口負担金は経費にはできません。医療法人の場合は、家族等が病院に勤務しており、ほかのスタッフと同様の基準に基づいて減免したのであれば、福利厚生費として経費計上することができます。

プライベートな友人に対して診療値引きを行なった場合は、経費

にはできません。個人事業のクリニックなどでは、院長先生がポケットマネーから負担されるケースもあります。保険請求分は、個人事業でも法人でも、ほかの患者さんの分といっしょに請求します。

なお、医師が医師の家族や従業員に対して診療を行なう「自家診療」の場合、保険診療分は収入計上しなくてもいいのですが、使用した薬代等は自家消費として仕入れ額もしくは売値の70％のいずれか高い額を収入計上する必要があります。薬代等には仕入原価がかかっていますから原価を経費処理して売上を計上しないということは認められないのです。

Point

- 診療値引きを安易にしないよう留意しましょう。
- 値引きしたなら、処理を適切にしておきましょう。

06 事務用消耗品の購入

消耗品は資産計上せず、取得したとき経費にする

節税効果

節税難易度

患者に薬を渡すときに使う袋やカルテなど消耗品の棚卸資産は、本来、期末在庫を確認し、経費からマイナス（資産計上）する必要があります。

払出高（経費） ＝ 期首在庫 ＋ 期中購入高 － 期末在庫

ただ、年間を通じて購入額が比較的少額である、在庫の変動が少ない、という場合は在庫を計上する必要はありません。実地棚卸の面倒もなくなります。

事務用消耗品や広告宣伝用印刷物等については、毎年同じ処理を行なう（取得した際に経費とする）ことを要件として、取得した際に経費にすることが認められています。

●事務用消耗品

ノート等の文具類や事務用の用紙、お茶、衛生用品など、もっぱら事務室や診療室等における事務のために消費される物品

※使用可能な期間が通常１年未満の少額な物品（事務服・白衣等）についても、事務用消耗品に準じて取り扱うものとされています。

●包装材料

●広告宣伝用印刷物　典型的なのがパンフレットです。

Point

毎年の継続適用で、取得時に経費にできます。

07 現金過不足の処理

レジ残高不足は、経費として処理する

節税効果 ☺
節税難易度 ☹

あまり好ましいことではありませんが、患者からもらうべき金額と実際にもらう金額に差が生じることがありますね。

たとえばお釣りの渡しすぎです。こういうとき、本来もらうべき金額に合わせるためにポケットマネーで残高を合わせておられませんか？　けれど、それはまったく不要です。その差額は費用として差し支えありません。

簡単な例で処理のしかたを示します。

◆レジ高と現金出納帳における残高との違い

【例】レジの残高のほうが出納帳より少ない場合

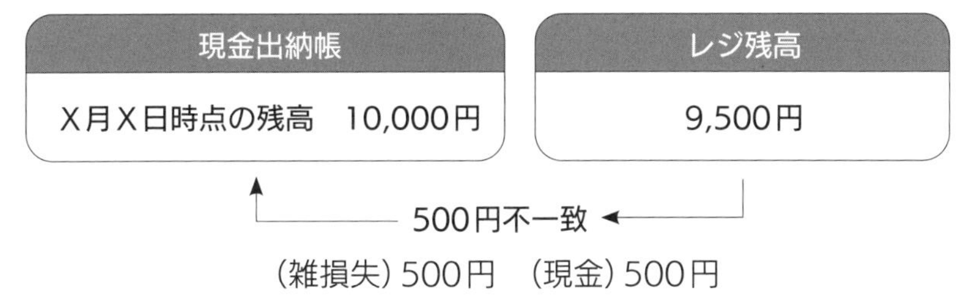

こうすればいいのです。実際にお金が減っているわけですから、節税とは言えないかもしれませんが、ポケットマネーで帳尻を合わせることからは解放されます。レジ残高の管理のためには、現金はこまめに預金口座に入金しておくことをおすすめします。

あるいは、あってはならないことですが、院内に泥棒が入り、レジに保管していた現金が盗まれてしまったとします。一般的には、現金について発生した損失は、災害、盗難または横領がその原因であれば、個人開業医の場合は雑損控除の対象となります。しかし、実務上、客観的に見て明らかに事業用の現金について受けた損失である場合は、経費としても差し支えないとされています。

Point

レジの現金残高は定期的に確認し、定期的に預金口座に入金しておきましょう。
出納帳と合わないときは経費として処理します。

08 陳腐化資産の除却

使えない資産は、除却して経費にする

節税効果 ☺☺
節税難易度 ☹

いまもっている資産を見直すことも、簡単にできる節税対策のひとつです。

固定資産が滅失した場合や、除却、譲渡等した場合は、その時点の帳簿価額を経費に計上することになるからです。

すでに存在しない固定資産がいつまでも帳簿に計上されているケースは意外に多いものです。固定資産の管理をきちんと行ない、決算時ごとに固定資産台帳等をチェックし、すでに存在しない資産がないかどうかを確認しましょう。経費計上できるものは漏れなく処理すべきです。償却が終わっている資産は見落としやすいので注意しましょう。ソフトウェアなどの無形固定資産も台帳等を整備して管理しましょう。繰延資産も見逃しやすいので、対象資産や契約が存在しているかどうか確認しましょう。

これらを行なうことにより、固定資産税（償却資産税）のムダな支払いがなくなります。

存在はするけれど実質使用不能なものは、「有姿除却（ゆうしじょきゃく）」といって、帳簿価額から処分（売却）見積額を差し引いた額を経費に計上することができます。使い古したものは、そのままにしておいても帳簿に残っている価額で経費にできるのです。

有姿除却が認められるのは、「その使用を廃止し、今後通常の方法により事業の用に供する可能性がない」と認められる資産です。メンテナンスすれば使えるようなものは認められません。有姿除却は税法で認められている制度ですが、再利用できる状態ではなかったのかと誤解を受けるリスクもありますので、必要のない資産は売却や廃棄しておいたほうがよいでしょう。

Point

使えなくなった資産は処分しましょう。
車両・医療機器の陳腐化資産を整理しましょう。
有姿除却できるものを検討しましょう。

09 窓口未収金

未収なのに税は負担の二重の損を解消する

節税効果 ☺☺☺☺☺
節税難易度 ☹☹☹☹☹

医業未収入金（窓口未収金）や貸付金の未回収分については、管理と回収をきちんと行ない、長期にわたって未回収にならないように努めることが大切です。定期的に催促等を行ない、相手先の行方がわからなくなることのないようにしておくことです。

そうは言っても、長期未回収となってしまったら、いつまでもそのままにしておくことは不健全ですから、相手先ごとに対応と処理の方針を決め、下記のように整理していくことをおすすめします。

①一定金額以上の多額未収入金については、請求書を何回も発送し、スタッフに支払の催促連絡をしてもらいます。行方不明等で請求ができず、明らかに回収できないと判断された場合は、貸倒損失として経理処理します。

②自費診療や突然のかけ込み診療の未回収分など少額なものについては、最後に入金されたときから1年以上診療等がない場合には、備忘価額1円を残して貸倒損失を計上します。

上記①、②は税務上、貸倒損失として経費にすることができると規定されています。

貸倒損失の処理の流れはつぎのとおりです。

■事実上の貸倒れ

債務者の資産状況、支払能力等から見て全額が回収できないこと

が明らかになった

↓

金銭債権の全額を回収できないことが明らかになった年度に処理

■形式上の貸倒れ

債務者との取引停止後1年以上経過した

↓

売掛債権の額から備忘価額を控除した金額を取引停止後1年以上経過した日以後の年度に処理

未収入金は、収益として計上しているけれど、まだ受け取っていない金銭債権のことです。つまり収益として計上しているのですから、それについて諸々の税金を支払っていることになります。実際には収益を得ていないのに税金は負担しているというのは、二重に損をしているわけです。

この二重の損の状況を解消するのが、貸倒損失処理なのです。

Point

相手先別に回収状況を管理し、回収努力をしたうえで回収不能と判断されるものは経費に入れましょう。

10 棚卸資産の整理

棚卸資産はモレをなくし、不良在庫は処分する

節税効果 ☺☺☺☺☺
節税難易度 ☹☹☹☹☹

決算期末（個人の場合は12月31日）になると、医薬品の在庫や診療材料などの「棚卸表」をもとに期末時点の棚卸資産を計上することになります。

在庫の棚卸の際に注意いただきたいのは、院外に預けてあるもの、たとえば整形外科医院の義足、歯科医院の金属床や金冠などに使用する貴金属、あるいは診察室以外の保管室で管理しているものすべてが棚卸資産となりますから、モレのないようにすることです。

資産の評価額は、基本的には最終仕入原価法で評価します。

最終仕入原価法とは、棚卸資産を期末に最も近い時点で取得したときの１単位当たりの取得価額をもって評価する方法です。実務上計算が容易であることや、税法上ほかの方法を選択して届け出ていない場合の法定評価方法となっていることから、多くの医院で採用されています。

ほかには、先入先出法や後入先出法という評価方法もあります。評価方法を変更する場合は、変更しようとする年の3月15日まで（医療法人の場合は変更しようとする事業年度開始の日の前日まで）に、「棚卸資産の評価方法の変更承認申請書」を税務署に提出し、税務署長の承認を受けることが必要です。

先入先出法や後入先出法については、表に簡単にまとめてみました。

	先入先出法	後入先出法
内　容	購入したものから順に使用したと仮定して在庫を評価	後から購入したものから順に使用したと仮定して在庫を評価

在庫として残っている医薬品や診療材料のなかに、使用期限が過ぎてしまっているものや破損してしまっているものがあれば、評価損として経費に計上することができます。これも節税につながります。

在庫の管理を徹底し、ムダのないようにすることがいちばんですが、万が一、不良在庫が発生してしまった場合は、廃棄するなどして経費に計上すれば節税対策になります。

■院外処方

参考までに、「院外処方」について説明しておきます。医薬品等の在庫管理が面倒であるとの理由から、その負担軽減対策として院外処方にされるところが増えています。そのメリット・デメリットは下記のとおりです。慎重に判断すべきですが、院外処方を取り入れるのも検討事項でしょう。

メリット	間接コスト減（人件費・確認作業）につながる。
デメリット	薬価益を享受することができない。

Point

使用期間を経過した医薬品等は廃棄しましょう。

11 少額資産の購入

10万円・30万円未満の少額資産は経費にする

節税効果 ☺☺☺☺☺
節税難易度 ☹☹☹☹☹

節税のポイントとして、経費計上額をなるべく大きくすることはご承知でしょう。そこで、少額の固定資産を有効に活用する方法を紹介します。

減価償却資産として資産に計上しなければならないのは、通常1単位として取引きされるその単位当たりの取得価額が10万円以上で、使用可能期間が1年以上の資産です。

青色申告を行なっている開業医、または出資金額が1億円以下の医療法人については、30万円未満の減価償却資産の取得価額全額を経費にすることができます（取得価額の合計額が300万円に達するまでの金額が限度となります）。

取得価額の違いによって行なう処理方法を表にまとめました。

金額	処理	備考
10万円未満	一括経費処理	—
10万円以上 20万円未満	通常の減価償却 もしくは3年均等償却	—
30万円未満	通常の減価償却 もしくは即時償却	青色申告者に限ります

■取得価額が10万円未満のもの

取得した時点で経費となります。

■取得価額が10万円以上20万円未満のもの

法定耐用年数を用いて減価償却する以外に、選択により、一括償却資産として3年で償却することもできます（取得価額の3分の1ずつ）。

ただし、一括償却資産として3年で償却する場合、たとえ年の途中で除却、廃棄、譲渡しても、その年の除却損等として経費に計上することはできません。手元になくなっても、3年かけて償却を行なう必要があります。

■取得価額が30万円未満のもの

法定耐用年数を用いて減価償却する以外に、要件を満たせば取得した時点で経費とすることができます。

Point

少額資産の制度を活用しましょう。
金額は税抜き経理なら税抜き金額、税込み経理なら税込み金額での判定になります。

12 短期前払費用の活用

月払い家賃を、年払いにして税金カット!?

節税効果 ☺☺☺☺☺
節税難易度 ☹☹☹☹☹

通常、病医院の家賃は毎月家主さんに支払い、今期の支払分だけを費用に計上されていることでしょう。

家賃を毎月払いから1年払いにするだけで、翌期分も今期の費用に計上することが可能な場合があります。

つぎの例を見てください。

【例：Aクリニック】(今期＝××1年1月1日から××1年12月31日)

(1) 毎月払いの家賃を1年払いに変更し、今期末に××2年1月1日から××2年12月31日分をまとめて支払いました。
(2) 1年払いすることになっている来期の家賃を今期に支払うことができなかったが、未払いで費用計上しました。
(3) 翌期に事務所を賃借する予定があり、××2年7月1日から××2年12月31日の半年分を今期末に支払いました。

さて、上記3例のうち、今期に費用計上できるのはどれでしょうか。答えは(1)です。

前払いの家賃を費用にできる要件は、「短期の前払費用」であることです。

「短期の」とは、実際に対価を支払った日から1年以内にサービスの提供を受けるものであり、「前払費用」とは一定の契約に従って継続的にその期間中同等のサービス提供を受けるために支出した費用のうち、今期末の時点においてまだサービス提供を受けていないものをいいます。

これに当てはまるものは（1）だけです。（2）は実際に対価を支払っていないため費用にできません。（3）は1年以内のサービスですが、今期からの継続的なサービスではないため前払費用ではなく、前払金という扱いになり費用にできません。

なお、税理士の顧問料や雑誌の年間購読料（電子版は除く）は、短期の前払費用には該当しません。前払費用は、「等質等量の役務提供」である必要があるためです。

雑誌を例にとって説明しましょう。

「紙」で購入する場合は、毎月異なる雑誌（それぞれの雑誌の内容が異なる）への対価となり、等質等量とはいえません。一方、「電子」で購入する場合は、電子で雑誌を読めるというサービスへの対価となるため、等質等量の役務提供となります。

Point

前払費用に該当する費用は家賃だけでなく、土地の賃借料、保険料、借入金利子なども該当します。前払費用に該当するものをピックアップし、決算対策として備えておきましょう。

13 債務確定の工夫

従業員への賞与は、支給前でも損金にできる

節税効果 ☺☺☺☺☺
節税難易度 ☹☹☹☹☹

そもそも決算期末（個人の方は12月31日）までに未払いとなっている費用は、そのすべてが当期の損金として認められるわけではありません。当期の損金として認められるためには、次の3つの要件に該当する必要があります。

①債務が確定していること
期末までに、支払義務が確定していること
②原因となる事実が発生していること
期末までに、物の引渡しやサービスの提供を受けたこと
③金額が明らかであること
合理的に金額が算定できること

たとえば毎月支払っている電話代等であれば、通信会社と契約を交わしているため債務が確定し、利用実績があるので原因事実が発生しており、通信会社から送付される通知書により金額が明らかなので、上記3要件を満たしています。損金とすることができます。

同様に、翌月払いの従業員の給与や社会保険料なども当期に織り込むことができます。

では、従業員に支払う賞与はどうでしょうか。

賞与については、支給予定額と実際の支給額が変わる可能性もあるので、支給時に損金算入されるのが原則です。ただし、次の要件を満たすことで、支給前の賞与についても当期の損金にすることができます。

①期末までに支給額を従業員ごとに、かつ、すべての従業員に
通知すること
②通知した金額を、翌期が始まって1か月以内にすべての従業員に
対して支払うこと
③当期中に費用として経理処理すること

この規定を利用して、予想外の利益が出たときの税金対策として、従業員賞与を支給日前に損金算入することが可能です。

Point

未払費用が損金算入される3要件を押さえておきましょう。
決算賞与も要件を満たせば未払計上できます。

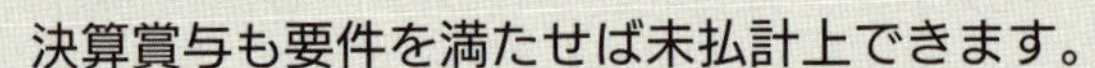

14 未払費用の計上

締め日後の給与計上を忘れないようにしよう！

節税効果 ☺☺☺☺☺
節税難易度 ☹☹☹☹☹

決算期末までに債務が確定しているが未払いとなっている費用は、要件に当てはまれば未払いでも当期の損金または経費にできることは前項で触れましたが、継続的にサービスの提供を受けている費用についても、時間の経過により当期分にあたる費用は未払費用として損金または経費に計上することができます。

未払金は、消耗品の後払い購入など、すでに期末までにサービスの提供を受け終わったが支払いのみがまだであるものをいい、未払費用は、一定の契約に従いサービスの提供が継続中で契約期間がまだ残っているものをいいます。
未払費用の具体例としては、保険料、従業員給与、借入利息、リース料、水道光熱費、賃借料などがあります。

【例】給与が15日締め当月末日払いの場合

締め日後の16日～31日分の給与は翌月の支給となり、期末日時点では未払いであるため、その金額を未払費用として計上します。

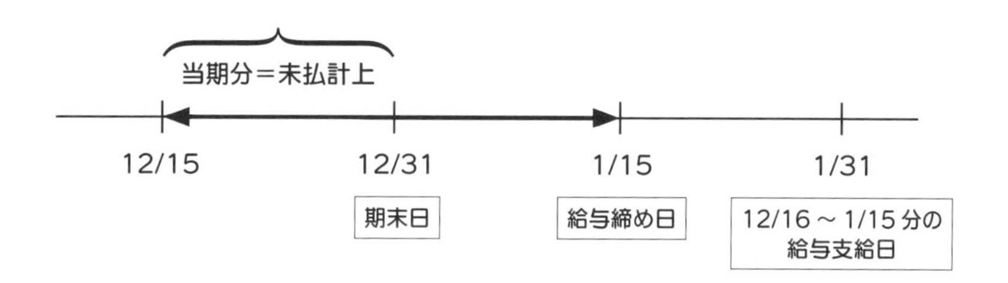

Point

該当経費がないか期末までに忘れず確認しておきましょう。

第2章

制度をかしこく利用する節税策

制度や仕組みを理解し利用すれば効果的な節税ができます。
すこしの手間で大きな効果が得られる施策も合わせて取り上げています。

15 定率法の選択

減価償却資産の償却は、定率法を選択しよう

節税効果 ☺☺☺☺☺
節税難易度 ☹☹☹☹☹

■減価償却について

機械や備品を取得した場合、取得に要した金額（取得価額）は、取得時に全額が必要経費となるわけではありません。その機械や備品の使用可能期間にわたって、分割して費用化します。建物・建物附属設備・機械装置・器具備品・車両運搬具などの資産は、一般的には時の経過等によってその価値が減っていくものと考えられるからです。

このように取得価額を費用として配分していく手続きを減価償却といい、減価償却をする必要のある資産を減価償却資産といいます。

これに対し、土地や骨とう品などの資産は、時の経過等によって価値が減少するものではないため、減価償却資産とはならず、売却や処分をするまで費用を計上することはできません。

■定額法と定率法から選択

減価償却によって配分する費用はどのように計算するのでしょう。

まず、使用可能期間にわたって費用化するため、この機械は8年、この備品であれば4年というように、財務省令によって法定耐用年数というものが定められています。

この耐用年数に従って費用を計上していくわけですが、償却方法には、一般的な方法として、定額法と定率法の２通りがあります。

- 定額法……毎年一定の金額を費用化する方法
- 定率法……毎年一定の割合を費用化する方法

建物および平成28年4月1日以後に取得する建物附属設備並びに構築物は定額法しか選択できませんが、その他の資産については自由に選択できることになっています。

では、どちらの方法を選択すれば有利になるか、です。

【耐用年数6年の車両を1,000,000円で取得した場合】

※詳細な計算方法については省略します。

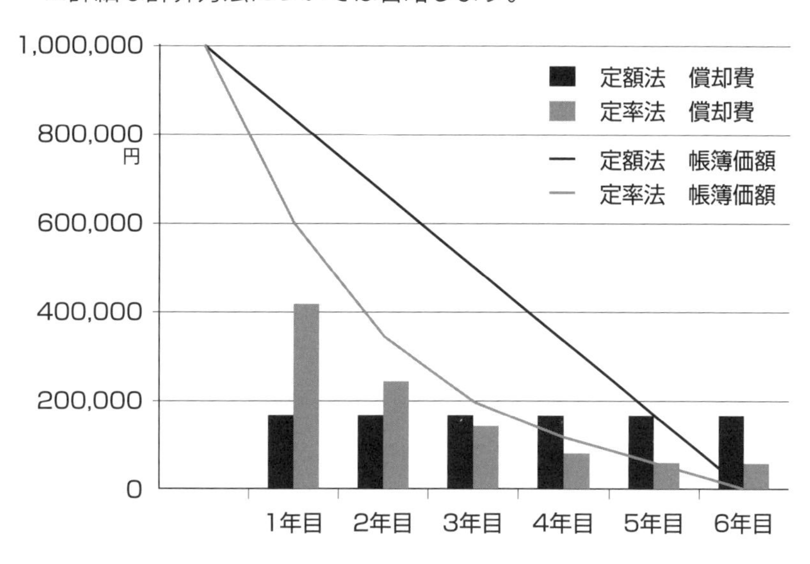

最終的に費用化される金額は、取得価額から残存価額の1円を差し引いた999,999円で同じになりますが、定率法は定額法よりも早く費用化できることが分かります。

早く費用化するということは、資産取得当初の所得が圧縮され、課税を繰り延べることができるので、キャッシュフローの面では定率法が有利であるといえます。

ただし、開業当初の設備投資のようなケースでは、資産取得当初には利益が上がらず、定額法を採用するほうが有利な場合もあります。

■税務署に届出書を提出する

償却方法は自由に選択できると述べましたが、選択するには、税務署に届出書を提出する必要があります。

届け出なかった場合、個人事業者であれば定額法、法人であれば定率法が適用されます。

これを法定償却方法といいます。

法人の場合は定率法が法定償却方法です。そのため届出書を提出しないケースも多いのですが、個人事業者の場合は届出書を提出しなければ定率法を選択することができません。

この届出の期限は個人事業者も法人も取得した年または事業年度の確定申告期限までとなっています。

選択した方法を変更したい場合は、その新たな方法を採用しようとする年の3月15日まで（医療法人の場合は新たな方法を採用する事業年度開始の日の前日まで）に届出書を提出しなければなりません。

Point

定率法を選択すれば課税を繰り延べることができます。

16 「書面添付制度」の活用

税務調査が入る可能性を低くする⁉

節税効果 ☺☺☺☺☺
節税難易度 ☹☹☹☹☹

「書面添付制度」は、申告書におおまかな説明書を添付する制度です。申告書作成にあたって検討・判断した事項や相談内容などを記載した書面を添付します。

「書面添付」は、税理士だけに認められている権利です。

税理士がどの程度関与し、申告書がどのような過程を経て作成されたのか、といった決算書の数字に表われない内容を記載し添付することで、税務執行の円滑化につながります。税理士の責任範囲が明確になりますし、申告書の信頼性も高まります。こうしたことから設けられているものです。

書面添付のあった申告に対して税務調査が行なわれる場合には、税理士宛に税務調査を実施したい旨の事前連絡が入り、添付書面に記載された事項について税理士が意見を述べる機会が与えられます。事前通知と意見聴取制度です。

その結果、調査の短縮や省略につながる可能性も考えられます。

ただし、書面添付をすれば税務調査が入る確率が大幅に減少するという統計があるわけではありません。調査省略を目的に制度を利用するのではなく、責任範囲の明確化や申告書の信頼性の向上を目的として活用するようにしましょう。

Point

書面添付は税理士だけに認められている制度です。

17 青色申告の特典

特典の内容を理解して、青色申告者になろう！

節税効果
☺☺☺☺☺
節税難易度
☹☹☹☹☹

開業医や医療法人は、所得税、法人税といった税金を自分で計算して税務署へ申告する必要があります。この税金の計算をする際に青色申告にしておくと、さまざまな特典を受けることができます(申告方法には青色申告と白色申告の２つがあります)。

■青色申告の特典

①開業医の場合

所得税の青色申告には下記のような特典があります。

・生計を一にする親族に支給した給料を必要経費に算入できる。
・損失が生じた場合は3年間の繰越控除ができる(繰戻還付も可能)。
・55万円の青色申告特別控除を所得から控除できる(小規模事業の場合は10万円)。
・業務に直接必要な家事関連費を必要経費に算入できる。
・売掛金等に一定率をかけた金額を貸倒引当金として計上できる。
・返品調整引当金、退職給与引当金の計上ができる。
・棚卸資産の評価で低価法が採用でき、その評価損で課税所得を減らせる。
・中小企業者に該当する個人は30万円未満の少額減価償却資産を一括して必要経費算入できる。
・割増償却、特別償却で課税所得を減らせる。
・所得税額から各種特別控除額を控除できる。
・税務調査による更正を制限し、更正においては理由が附記される。

②医療法人の場合

・欠損が生じた場合は、10年間の繰越控除ができる。
・中小法人は欠損金の繰戻還付が可能となる。
・特別償却、各種準備金の計上により課税所得を減らせる。
・法人税額から各種特別控除額を控除できる。
・中小企業者等は、30万円未満の少額減価償却資産を一括損金算入できる。
・税務調査による更正を制限し、更正においては理由が附記される。

■青色申告の適用要件

青色申告には上記のような特典があるかわりに、いくつかの適用要件があります。

・すべての取引を複式簿記により整然かつ明瞭に記帳しなければならない。
・仕訳帳、総勘定元帳等の帳簿を作成、整理、保管する必要がある。
・青色申告書に貸借対照表および損益計算書を添付する必要がある。
・帳簿書類（契約書、領収書等を含む）を7年間、整理保管する必要がある。
・期末に棚卸資産の棚卸等決算整理を行ない、記録することが必要。

なお、電子帳簿保存またはe-Taxによる電子申告を行なっている場合は、65万円の青色申告特別控除が受けられます。

■青色申告者になるための手続き

①開業医の場合

青色申告を認めてもらうには、申告書を提出しようとする年の3月15日までに、青色申告の承認申請書を税務署長に提出しなければならない。

※新規開業の場合、業務を開始した日から２か月以内に申請が必要。

②医療法人の場合

申告書を提出しようとする事業年度が始まる日の前日までに、青色申告の承認申請書を税務署長に提出しなければならない。

※設立第１期目については、設立日から３か月後と決算日とのどちらか早い日の前日までに申請が必要。

なお、青色申告承認申請書は毎年提出するものではありません。提出後は自動的に承認されます。

Point

きちんと経理処理をすることを条件に、税制上の特典を受けることができます！
特典を受けるには、税務署に「青色申告承認申請書」を期限内に提出しなければなりません。

18 医療機器等の優遇税制

設備投資をしたら、特別償却や税額控除を利用

節税効果 ☺☺☺☺
節税難易度 ☹☹☹☹

医療機器等の設備投資を行なった場合、特別償却や税額控除などの優遇制度を利用することができます。

「特別償却」とは、事業供用した事業年度において、通常の減価償却費のほかに特別の減価償却費を必要経費に算入できるものです。

「税額控除」とは、事業供用した事業年度において、取得価額のうち一定割合の税額控除が認められるものです。

特別償却は２年目以降の減価償却費を１年目に先取りしていることになりますから、課税が繰り延べられるだけですが、税額控除は税額の一定割合を控除するので、純粋な減税効果が得られます。

ただし、以下の税制においては医療機器が対象外となっていたり、要件が厳しかったりするため、実際に適用することができるのは電子カルテなどのソフトウェアについて設備投資をした場合に限られるでしょう。

■中小企業経営強化税制

青色申告書を提出する中小企業者等が、経営力向上を目的とする人材育成や財務管理、設備投資などの取組みを記載した「経営力向上計画」を事業所管大臣に申請し、認定を受けた経営力向上計画に基づいて令和5年3月31日までに新品の特定経営力向上設備等を取得、製作もしくは建設し事業の用に供した場合に、特別償却または税額控除を認める制度です。

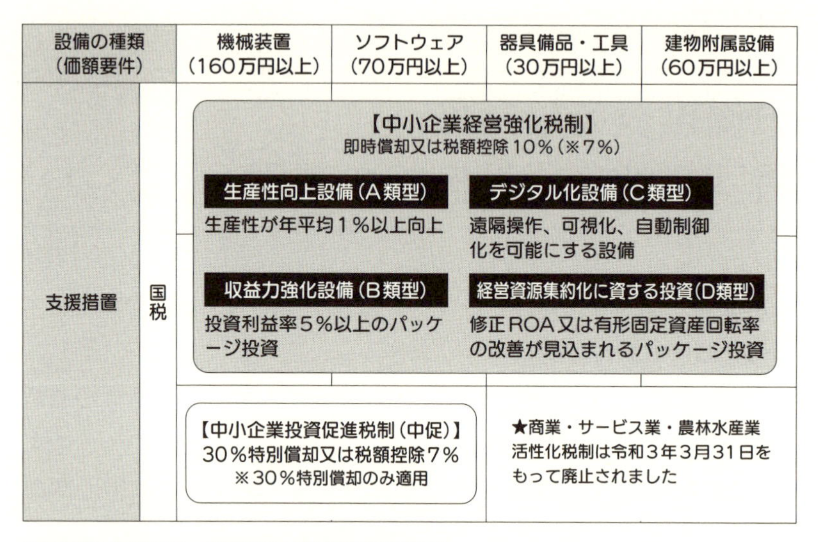

設備の種類 （価額要件）		機械装置 （160万円以上）	ソフトウェア （70万円以上）	器具備品・工具 （30万円以上）	建物附属設備 （60万円以上）
支援措置	国税	【中小企業経営強化税制】 即時償却又は税額控除10%（※7%） **生産性向上設備（A類型）** 生産性が年平均1%以上向上 **デジタル化設備（C類型）** 遠隔操作、可視化、自動制御化を可能にする設備 **収益力強化設備（B類型）** 投資利益率5%以上のパッケージ投資 **経営資源集約化に資する投資(D類型)** 修正ROA又は有形固定資産回転率の改善が見込まれるパッケージ投資			
		【中小企業投資促進税制（中促）】 30%特別償却又は税額控除7% ※30%特別償却のみ適用		★商業・サービス業・農林水産業活性化税制は令和3年3月31日をもって廃止されました	

を付した部分は、経営力向上計画の認定が必要
※を付した部分は、資本金3,000万円超1億円以下の法人の場合

（中小企業庁「中小企業等経営強化法に基づく支援措置活用の手引き」より）

対象となる設備

類型	要件	確認者	対象設備	その他要件
A類型	生産性が旧モデル比平均1%以上向上する設備	工業会等	機械装置（160万円以上） 工具（30万円以上） （A類型の場合、測定工具又は検査工具に限る） 器具備品（30万円以上） 建物附属設備(60万円以上) ソフトウェア(70万円以上) （A類型の場合、設備の稼働状況等に係る情報収集機能及び分析・指示機能を有するものに限る）	・生産等設備を構成するもの 事務用器具備品・本店・寄宿舎等に係る建物附属設備、福利厚生施設に係るものは該当しません。 ・国内への投資であること ・中古資産・貸付資産でないこと等
B類型	投資収益率が年平均5%以上の投資計画に係る設備	経済産業局		
C類型	可視化、遠隔操作、自動制御化のいずれかに該当する設備			
D類型	修正ROAまたは有形固定資産回転率が一定割合以上の投資計画に係る設備			

出典：（中小企業庁「中小企業等経営強化法に基づく支援措置活用の手引き」より）

事業の指定はありますが、医療業も該当します。

ただし対象設備については、医療保健業を行なう事業者が取得または製作する医療機器である器具備品、建物附属設備は除かれることとなっています。そのためクリニックで実質的に対象となるのは電子カルテのみでしょう。

その他の設備についてももしあれば、対象に該当するか確認のうえ、A類型では設備メーカー等から工業会等の証明書を発行してもらい、B、C、D類型では経済産業局に確認書発行の申請（申請には税理士等の事前確認が必要）を行なって確認書の発行を受けたのち、計画書の申請を行ない、認定を受けて、ようやく取得ということなります。

この税制を使うにあたっては、事前の準備やスケジュール管理が必要となりますので、ご注意ください。

■中小企業投資促進税制

青色申告書を提出する中小企業者等が、令和５年３月31日までに対象設備を取得し事業供用した場合には、特別償却と税額控除の選択適用ができるというものです。

ただし医療機器はこの制度の対象とはならないため、電子カルテ等のソフトウェアでの利用に限られるかと思います。

対象者	・中小企業者等（資本金１億円以下の法人、農業協同組合、商店街振興組合等） ・従業員数1,000人以下の個人事業主
対象業種	製造業、建設業、農業、林業、漁業、水産養殖業、鉱業、卸売業、道路貨物運搬業、倉庫業、港湾運送業、ガス業、小売業、料理店その他の飲食店業（料亭、バー、キャバレー、ナイトクラブその他これらに類する事業については生活衛生同業組合の組合員が行うものに限る。）、一般旅客自動車運送業、海洋運輸業及び沿海運輸業、内航船舶賃貸業、旅行業、こん包業、郵便業、通信業、損害保険代理業及びサービス業（映画業以外の娯楽業を除く）、不動産業、物品賃貸業 ※性風俗関連特殊営業に該当するものは除く
対象設備	・機械及び装置【１台160万円以上】
	・測定工具及び検査工具【１台120万円以上、１台30万円以上かつ複数合計120万円以上】
	・一定のソフトウェア【一のソフトウェアが70万円以上、複数合計70万円以上】 ※複写して販売するための原本、開発研究用のもの、サーバー用osのうち一定のものなどは除く
	・貨物自動車（車両総重量3.5トン以上）
	・内航船舶（取得価格の75％が対象）
措置内容	個人事業主 資本金3,000万円以下の中小企業　30％特別償却又は７％税額控除
	資本金3,000万円超の中小企業　30％特別償却

（出典：中小企業庁：広報資料「概要」）

■高額医療機器等の特別償却

青色申告者である法人または個人が令和５年３月31日までに対象設備を取得して事業供用した場合、特別償却の適用を行なうことができます。

この税制においては、医療機器は対象となりますが、金額を含め要件は厳しいものとなっています。

対象設備	医療用の機械及び装置並びに器具及び備品で１台または１基の取得価額が500万円以上で、 １．高度な医療の提供に資するものとして厚生労働大臣が指定するもの ２．薬機法の①高度管理医療機器、②管理医療機器、③一般医療機器のうち厚生労働大臣が指定した日から２年以内のもの
措置内容	取得価額の12％の特別償却

対象機器は、厚生労働省告示（第248号）に記載されていますので事前に確認しておきましょう（全身用ＣＴ・ＭＲＩで一定のものについては、効率的な配置促進のため一定の要件を満たすことにつき都道府県の確認を得ることが必要です）。

ほかに、クリニックで適用される事例は少ないのですが、「医師等の労働時間短縮に資する機器等の特別償却制度」や「地域医療構想の実現のための病床再編等の促進に向けた特別償却制度」などもあります。

Point

設備投資を検討の際は必ず税理士に相談しましょう。

19 概算経費の控除

医師だけが使える、経費の概算計上を！

節税効果 ☺☺☺☺☺
節税難易度 ☹

「社会保険診療報酬の所得計算の特例」という規定があります。これは社会保険診療の収入金額をもとに、実際の支出金額ではなく、社会保険診療報酬に一定の率を乗じた額を経費とみなすことができるというものです。

では、どのような場合に適用されるのかといえば……。

「その年の社会保険診療報酬の金額が5,000万円以下であり、かつ、医業および歯科業の収入金額（社会保険診療と自由診療の合計額）が7,000万円以下であること」

要件はたったのこれだけです。驚かれました？

申告までに検討すればよいので、下記の条件を踏まえ、必ず有利なほうで申告しましょう。要件に該当するにもかかわらず、この制度を活用していないなら、今後納付税額を減らせる可能性があります。

【ポイント】

・健康保険法、国民健康保険法、介護保険法、老人保健法等保険の適用があるものに限る（※1）
・助産師、あん摩師、はり師、きゅう師、柔道整復師等はこの特例の適用はない
・個人開業医も医療法人も両方とも使用可能

つぎの表を使って計算してみましょう。

まず、自院の社会保険診療報酬を思い浮かべてください。申告時

に使用するものですから１年間でどれぐらいの金額になるか、です。

社会保険診療報酬	概算経費額	
	率	加算額
2,500万円以下	72%	
2,500万円超　3,000万円以下	70%	500,000円
3,000万円超　4,000万円以下	62%	2,900,000円
4,000万円超　5,000万円以下	57%	4,900,000円

【例】個人事業主として内科を開院されているＴさん。

令和○○年の社会保険診療の合計金額は3,000万円でした。

実際にかかった経費の金額は1,000万円です。

（自費診療・その他の収入はないものとする）

①実額により計算した場合

所得：3,000万円－1,000万円＝2,000万円

この場合の税金は　所得税　520.4万円

住民税　200　万円

合　計　720.4万円

②社会保険診療報酬の所得計算の特例を使った場合

経費：3,000万円×70％＋50万円＝2,150万円

所得：3,000万円－2,150万円＝850万円

この場合の税金は　所得税　131.9万円

住民税　85　万円

合　計　216.9万円

※税額の計算について控除等は考慮しないものとする。

①と②の税金の差はなんと503.5万円。大きな差が生じています。

この規定の条件は純粋に社会保険診療報酬の金額のみで、事前の

届出等も一切不要です。毎年検討し、その年に有利なほうを選択してよいという、〝やったもん勝ち〟の節税策です。

なお67ページ（※1）の社会保険診療報酬の範囲（租税特別措置法67条1項）には、つぎの金額が含まれますのでご留意ください。

①健康保険法、船員保険法、国家公務員共済組合法、地方公務員等共済組合法または私立学校教職員共済法の規定に基づいてした療養の給付について、医療法人が当該被保険者またはその被扶養者から直接収受するいわゆる自己負担額
②国民健康保険法または高齢者の医療の確保に関する法律の規定に基づいてした療養の給付について、医療法人が当該被保険者から直接収受するいわゆる自己負担額
③生活保護法または中国残留邦人等の円滑な帰国の促進並びに永住帰国した中国残留邦人等および特定配偶者の自立の支援に関する法律の規定に基づいてした医療、介護または助産の給付について、医療法人が当該被保護者または当該特定中国残留邦人等から直接収受するいわゆる本人支払額
④感染症の予防および感染症の患者に対する医療に関する法律の規定に基づいてした医療について、医療法人が当該患者から直接収受するいわゆる自己負担額
⑤介護保険法の規定に基づいてした指定居宅サービス、指定介護予防サービス、介護保健施設サービスまたは指定介護療養施設サービス（措置法第26条第2項第4号において社会保険診療報酬とされるサービスに限る）について、医療法人が当該利用者から直接収受するいわゆる自己負担額
⑥障害者の日常生活および社会生活を総合的に支援するための法律の規定に基づいてした指定自立支援医療または指定療養介護医療について、医療法人が当該支給認定障害者等または当該支給決定障害者等から直接収受するいわゆる自己負担額
⑦児童福祉法に規定する肢体不自由児通所医療または障害児入所医療につい

て、医療法人が当該障害児にかかる通所給付決定保護者または入所給付決定保護者から直接収受するいわゆる自己負担額

⑧難病の患者に対する医療等に関する法律の規定または入所給付決定保護者に基づいてした指定特定医療について、医療法人が当該支給認定患者等から直接収受するいわゆる自己負担額

⑨児童福祉法の規定に基づいてした指定小児慢性特定疾病医療支援について、医療法人が当該小児慢性疾病児童等にかかる医療費支給認定保護者から直接収受するいわゆる自己負担額

Point

個人開業医も医療法人も使える制度です。

20 消費税の節税

簡易課税制度利用で、消費税を削減できる

節税効果 ☺☺☺☺☺
節税難易度 ☹☹☹☹☹

消費税の申告・納付は、個人の開業医やクリニックにとってはあまり馴染みがないかもしれません。

基準期間（2年前）における課税売上高が1,000万円以下のような小規模事業者に対しては、その事務手数を考慮して納税義務が免除されます。

課税売上高（全売上のうち、消費税が課税される売上のこと）は、一般の会社であれば売上高と大差はありません。けれど、病医院の場合は、医業収入のうち、社会保険診療や公費負担医療などの診療報酬については、消費税は非課税とされています。そのため、免税事業者となるケースが多いのです。

ただし、診療報酬の内容によっては、課税対象となるものがあります。課税対象となる収入は、つぎのようなものです。

・予防接種
・人間ドック
・健康診断
・美容整形
・生命保険会社からの審査料

このような収入が多くて消費税の課税事業者となった場合は、収入について受け取った消費税から、材料の仕入れや一般管理費等について支払った消費税を差し引いた金額を納付することになります。

■納税額の計算

納税額の計算方式には、「本則課税方式」と「簡易課税方式」との2つがあります。

①本則課税方式

課税売上にかかる消費税額から、課税仕入れにかかる消費税額を控除（仕入税額控除）して計算します。

②簡易課税方式

基準期間における課税売上高が5,000万円以下の場合のみ選択できます。課税売上にかかる消費税額から、課税売上高に一定割合のみなし仕入率（自由診療等は50%）を適用して計算した金額を控除します。

ここで注意しなければならないのが、①本則課税方式における仕入税額控除の額は、課税売上割合（全体の売上に占める課税売上高の割合）を乗じて計算しなければならないことです。

病医院は非課税売上の占める割合が高いケースが多いため、本則課税方式を選択すると、仕入税額控除がほとんどとれなくなってしまうことがあります。

【例】課税売上高2,000万円（外消費税200万円）、非課税売上高8,000万円、課税仕入高3,000万円（外消費税300万円）の場合

課税売上割合　2,000÷（2,000＋8,000）＝20%
仕入税額控除　300万円×20%＝60万円
納付税額　200万円－60万円＝140万円

同じ条件で、簡易課税方式で計算するとどうなるでしょう。

仕入税額控除　200万円×50%＝100万円

納付税額　200万円−100万円＝100万円

計算方式を変更するだけで、32万円の節税ができます。

【注意点】

簡易課税方式は、計算が簡単なうえ、税金が安くなるメリットがありますが、設備投資をする場合などには本則課税方式をとったほうが有利な場合もあります。

また、一度選択してしまうと最低2年間は簡易課税方式で計算しなくてはなりません。1年目は簡易課税方式による納税が有利であっても、2年目には不利になることもあります。

こうした点を踏まえて慎重に選択しましょう。

Point

基準期間の課税売上高が5,000万円以下の場合は本則課税方式か簡易課税方式を選択できます。

21 貸倒引当金

貸倒れの恐れがなくても、貸倒引当金を計上する

節税効果
☺☺☺☺☺
節税難易度
☹☹☹☹☹

引当金とは、将来予測される支出に備えて、あらかじめその費用を見積り計上するものです。医院の場合、12月31日現在の金銭債権に対し、5.5％を貸倒引当金として必要経費に算入することが認められています（医療法人の場合は0.6％）。

12月31日現在の金銭債権の帳簿価額 × 5.5％ ＝ 必要経費算入額

医療法人の場合は過去3年の貸倒れ実績による率を用いますが、資本金が1億円以下であれば1,000分の6（0.6％）との選択ができます。

病医院における金銭債権の大部分は社会保険診療報酬の保険未収入金であるため、貸倒れが発生することはほぼありませんが、貸倒引当金を設定することにより、一定の経費算入ができることになります。病医院の場合、支払基金や国保連合会等からの診療報酬の振込みが2か月遅れるため、金銭債権額はかなり大きくなります。

たとえば12月31日現在の金銭債権の合計額が1,000万円の場合、この金額に5.5％を乗じた55万円を貸倒引当金として必要経費に算入できますから、貸倒引当金設定初年度はかなりの節税効果が生まれます。

しかし設定第2年度は、初年度に設定した貸倒引当金は取り崩して収益に算入し、新たに貸倒引当金を設定して必要経費に算入します。ですから第2年度は実質取り崩し額と新たな設定額との差額になるため、節税効果はほとんどなくなります。

なお、個人開業医が貸倒引当金を設定するには、青色申告書を提出していることが必要です。

22 人材投資で節税

人に投資した場合に受けられる税額控除について

節税効果 ☺☺☺☺☺
節税難易度 ☹☹☹☹

病院や診療所を運営し発展させていくうえで重要な要素の一つが「人材」です。その人材に投資した場合には、次のような税制優遇を受けることができます。

1つ目は、スタッフの賃金アップによって受けられる「所得拡大促進税制」です。

2つ目は、新卒を含む人材獲得によって受けられる「人材確保等促進税制」です。

ここでは主に「所得拡大促進税制」について、常時使用従業員数1,000人以下の医療法人および個人診療所（中小企業）向けに解説します。

■所得拡大促進税制

青色申告書を提出している医療法人または個人診療所が、前年度より給与等を増加させた場合に、その増加額の一部を法人税または所得税から税額控除できる制度です。

今後、この制度はさらに拡充される見込みで、適用年度によって税額控除できる金額が異なりますのでご注意ください。本稿は令和4年度税制改正大綱の内容によっています。

<table>
<tr><th colspan="2">項目</th><th colspan="2">令和3年4月1日から令和4年3月31日までの間に開始する事業年度
（個人診療所は、令和4年が対象）</th><th colspan="2">令和4年4月1日から令和5年3月31日までの間に開始する事業年度
（個人診療所は、令和5年から令和6年までの各年）</th></tr>
<tr><td colspan="2">適用要件</td><td colspan="2">雇用者給与等支給額が前年度から1.5％以上増加</td><td colspan="2">同左</td></tr>
<tr><td rowspan="4">税額控除</td><td>通常</td><td colspan="2">雇用者給与等支給額の対前年度増加額×15％</td><td colspan="2">同左</td></tr>
<tr><td rowspan="2">上乗せの場合</td><td rowspan="2">①雇用者給与等支給額が昨年度から2.5％以上増加かつ
②下記のいずれかを満たす場合
イ）教育訓練費の額が前年度から10％以上増加
ロ）中小企業等経営強化法の経営力向上計画の認定を受け、経営力向上の証明がされたこと</td><td rowspan="2">10％加算</td><td>雇用者給与等支給額が前年度から25％以上増加</td><td>15％加算</td></tr>
<tr><td>教育訓練費の額が前年度から10％以上増加</td><td>10％加算</td></tr>
<tr><td>最大控除率</td><td colspan="2">25％（通常分＋上乗せ分）</td><td colspan="2">40％（通常分＋上乗せ分）</td></tr>
</table>

※いずれの年度も適用年度の法人税額又は所得税額の20％を上限

上表にある「雇用者給与等支給額」とは、適用年度の所得金額の計算上、損金（個人診療所の場合は必要経費）に算入されるすべての国内雇用者に対する給与等の支給額をいいます。キャリアアップ助成金など他者から支払いを受け、給与等にあてる金額がある場合は、その金額を控除します。なお、国内雇用者には、医療法人の役員などは含まれません。

【例　3月決算の医療法人の場合】

当期：令和3年4月1日～令和4年3月31日

・雇用者給与等支給額：1,700万円・教育訓練費25万円

・法人税額：200万円

前期：令和2年4月1日～令和3年3月31日

・雇用者給与等支給額：1,500万円　・教育訓練費20万円

この場合、雇用者給与等支給額が13.3％（(1,700万円－1,500万円)÷1,500万円）増加しているため、適用要件の「1.5％以上の増加」はクリアしており、税額控除を受けることができます。

税額控除額は以下の計算式により、30万円になります。

(1,700万円－1,500万円)×15％＝30万円＜200万円×20％＝40万円（限度額）

では、上乗せの税額控除は使えないか見てみましょう。

上乗せ適用要件①：13.3％≧2.5％
上乗せ適用要件②：25％（(25万円－20万円)÷20万円）≧10％

①と②の適用要件をクリアしているので、上乗せの税額控除を受けることができます。

税額控除額：40万円
(1,700万円－1,500万円)×25％＝50万円＞200万円×20％＝40万円（限度額）

通常分と上乗せ分とを合わせると50万円になりますが、税額控除額の上限が法人税額の20％であるため、税額控除額は40万円となります。

補足しておきますと、令和３年４月１日から令和５年３月31日までの間に開始する事業年度（個人事業主の場合は令和４年から令和５年までの各年）において、雇用保険に加入する従業員を新たに雇用した場合、その年度の新規雇用者給与等支給額（雇用保険に加入する従業員に対して雇用した日から１年以内に支給する給与額）が前年度の新規雇用者給与等支給額に比して２％増加している場合、控除対象新規雇用者給与等支給額（新規雇用者に対して雇用した日から１年以内に支給する給与額から、前年度の新規雇用者に対して雇用した日から１年以内に支給する給与額を控除した金額）の15％を法人税または所得税から税額控除することができます。

これについても一定の要件を満たすと上乗せ措置があります。ただし所得拡大促進税制との選択適用となりますので、所得拡大促進税制のほうが有利になる場合が多いと思われます。

Point

・雇用者には、常勤・非常勤問わず、ドクターも該当します。ドクターの給与は高額な場合が多いので、１人でも雇用したらこの制度を適用できる可能性があります。

・期末や年末の賞与を検討する場合には、この所得拡大促進税制の要件に照らし合わせて支給金額を決定することも重要です。

23 暦年贈与の活用

資産があるほど計画的に実行すればメリットが大きい

節税効果 ☺☺☺☺☺
節税難易度 ☹☹☹☹☹

■暦年贈与とは

暦年贈与とは、1月1日から12月31日までの1年間に行なわれた贈与で、110万円の基礎控除額を利用した贈与をいいます。基礎控除額を超える贈与を受けた方はその翌年3月15日までに税務署に贈与税申告・納税を行なう必要があります。

贈与税は現行の制度ですと、受贈者一人あたり1年間110万円の基礎控除額があり、この金額を超えた部分に対して贈与税が課税されます。贈与税額は一般贈与財産と特例贈与財産に区分され、それぞれ下記の速算表を使って計算できます。

一般贈与財産（下記以外の贈与）

基礎控除後の課税価格	200万円以下	300万円以下	400万円以下	600万円以下	1,000万円以下	1,500万円以下	3,000万円以下	3,000万円超
税　率	10%	15%	20%	30%	40%	45%	50%	55%
控除額	—	10万円	25万円	65万円	125万円	175万円	250万円	400万円

特例贈与財産（直系尊属からその年1月1日において18歳以上の者への贈与）

基礎控除後の課税価格	200万円以下	400万円以下	600万円以下	1,000万円以下	1,500万円以下	3,000万円以下	4,500万円以下	4,500万円超
税　率	10%	15%	20%	30%	40%	45%	50%	55%
控除額	—	10万円	30万円	90万円	190万円	265万円	415万円	640万円

・計算例

父親から子供（1月1日において18歳以上）へ現金610万円を贈与した場合

この場合、直系尊属（父親）から18歳以上の子供への贈与なので、特例贈与財産の速算表を使って計算します。贈与税額は70万円となります。

基礎控除後の課税価格　610万円－110万円＝500万円

贈与税額　500万円×20％－30万円＝70万円

・活用方法

暦年贈与は計画的に活用することで将来的に相続人が負担する税額を抑えることができます。

資産1億円、相続人2人（子供2人）のケース

このケースで暦年贈与を行なわずに相続が発生した場合と、暦年贈与を活用し毎年100万円を10年間、子供2人にそれぞれ贈与した後に相続が発生した場合の、贈与税・相続税の納税金額はそれぞれ次の金額となります。

	暦年贈与なし	暦年贈与あり
贈与税額		0円
相続税額	770万円	470万円
合　計	770万円	470万円

暦年贈与を使わずに相続が発生すると、相続税額は約770万円となります。

暦年贈与を活用した場合、贈与税は基礎控除額の範囲内ですので発生しません。相続発生時の資産は8,000万円（1億円－100万円×2人×10年）となり、相続税額は約470万円。約300万円の節税になります。

　このように基礎控除額の範囲内の贈与であっても計画的に実行することで節税効果は大きくなります。

■今後の税制改正の見通し

　令和４年度税制改正大綱に、「諸外国の制度も参考にしつつ、相続税と贈与税をより一体的に捉えて課税する観点から、現行の相続時精算課税制度と暦年課税制度のあり方を見直す」という記載があり、相続税・贈与税については大きな改正があることが予想されます。今後、暦年贈与の撤廃などの改正が行なわれる可能性もあるので、税制改正の動きに注意が必要です。

Point

- 暦年贈与の活用は資産家の方ほど効果が大きくなるので、計画的に実行することが必要です。
- 今後の税制改正に注意が必要です。

24 相続税対策

住宅取得、教育、結婚・子育て資金、3つの贈与税非課税制度を活用

節税効果 ☺☺☺☺☺
節税難易度 ☹☹☹☹☹

将来相続税が課税されると見込まれる家庭におかれては、3つの贈与税非課税制度を有効活用しつつ、贈与税・相続税の総額を軽減できるように検討されることをおすすめします。

■3つの贈与税非課税制度について

	住宅取得等資金の非課税制度	教育資金の一括贈与非課税制度	結婚・子育て資金の一括贈与非課税制度
贈与者	受贈者の直系尊属		
受贈者の年齢	18歳以上	30歳未満	18歳以上50歳未満
所得制限	2,000万円以下	1,000万円以下	1,000万円以下
贈与できる期間	令和5年12月31日まで	令和5年3月31日まで	
非課税金額上限額	1,000万円	1,500万円	1,000万円
使用できる期間	贈与された年の翌年3月15日の新築等まで	受贈者が30歳に達するまで	受贈者が50歳に達するまで
贈与者が死亡した場合	相続財産への持ち戻しなし	残額については相続財産に持ち戻しあり（一定の場合を除く）	残額については相続財産に持ち戻しあり

■住宅取得等資金の贈与税非課税制度

令和5年12月末までに父母または祖父母などの直系尊属から住宅取得等資金の贈与を受け、住宅の新築、中古住宅の取得、増改築等を行なった場合、一定の金額まで贈与税が非課税になります。

非課税となる贈与の上限額は、住宅用家屋の取得等にかかる契約の締結時期にかかわらず、住宅取得資金の贈与を受けて新築等をした住宅用家屋の種類に応じて定められています。その金額は、それぞれ次のようになります。

①耐震、省エネまたはバリアフリーの住宅用家屋……1,000万円
②上記以外の住宅用家屋……………………………………500万円

ただし、この非課税制度が適用できるのは、受贈者の贈与を受けた年分の合計所得金額が2,000万円以下（新築等をする住宅用の家屋の床面積が40平方メートル以上50平方メートル未満の場合は、1,000万円以下）の場合に限ります。

■教育資金の一括贈与非課税制度

令和5年3月末までに父母または祖父母などの直系尊属から30歳未満の子または孫の直系卑属に教育資金を一括贈与した場合、1,500万円まで贈与税が非課税になります（塾などの学校等以外に支払う金銭については500万円を限度とします）。

非課税制度を適用するためには、金融機関と教育資金管理契約を締結し、資金は特別の口座で管理される必要があります。

受贈者が30歳に達したこと等により契約が終了した場合において、口座に拠出された資金から金融機関が教育資金に充てたとして記録した金額を差し引いた残額があるときは、その残額に対して贈与税が課税されます。

また、贈与者が死亡した場合に上記の残額があるときは、相続財産に持ち戻され相続税が課税されます。ただし、贈与者の死亡日において受贈者が23歳未満である場合や学校に在学しているなど一定の場合には持戻しはありません。

この非課税制度が適用できるのは、受贈者の贈与を受けた年の前年分の合計所得金額が1,000万円以下の場合に限られます。

●教育資金の例

①学校等に対して直接支払われるもの

医大などの大学の入学金、授業料、入園料、保育料、学用品の

購入費、学校給食費等

②学校等以外に対して直接支払われるもので、教育を受けるために支払われるものとして社会通念上相当と認められるもの

医学部予備校などの学習塾等、スポーツまたは文化芸術に関する習い事費用等

■結婚・子育て資金の一括贈与非課税制度

令和5年3月末までに父母または祖父母などの直系尊属から18歳以上50歳未満の子または孫の直系卑属に結婚・子育て資金の一括贈与をした場合、1,000万円まで贈与税が非課税になります。

非課税制度を適用するためには、教育資金の一括贈与非課税制度と同様、金融機関と結婚・子育て資金管理契約を締結し、資金は特別の口座で管理される必要があります。

受贈者が50歳に達したこと等により契約が終了したとき、口座に拠出された資金に残額があれば、その残額に対して贈与税が課税されます（残額は金融機関が結婚・子育て資金にあてたものとして記録し拠出資金から差し引いた金額です）。

また、結婚・子育て資金の一括贈与非課税制度でも、贈与者が死亡した場合に上記の残額があるときは相続財産に持ち戻されますが、教育資金の一括贈与非課税制度のような受贈者の年齢等による例外はありません。

この非課税制度についても適用できるのは、受贈者の贈与を受けた年の前年分の合計所得金額が1,000万円以下の場合に限ります。ご注意ください。

●結婚・子育て資金の例

①結婚に際して支払うもの（300万円が限度）

・挙式費用、婚礼費用……婚姻の日の1年前の日以後に支払われるもの

・家賃、敷金等の新居費用……一定の期間内に支払われるもの
②妊娠、出産及び育児に要するもの
・不妊治療・妊婦健診に要する費用
・分娩費等・産後ケアに要する費用
・子どもの医療費、幼稚園、保育所等の保育料（ベビーシッター代を含む）

Point

親族間でその都度必要なときに贈与する場合には原則課税されません。ただし、教育や生活に充てる資金でも事前に贈与してしまうと、110万円以下の贈与であれば無税で移すことができますが、110万円以上の贈与であれば原則贈与税が課されます（暦年贈与）。
この事前贈与で非課税となるものが、教育資金の一括贈与と結婚・子育て資金の一括贈与です。
住宅資金については必要なときでも贈与してしまうと原則課税されてしまいます。ただし、住宅取得等資金の贈与税非課税制度を活用すれば、非課税での贈与が可能になります。
相続税の負担が将来において予測される方は、あらかじめこれらの非課税制度を積極的に活用されることをおすすめします。

25 確定拠出年金制度（企業型DC / iDeCo）

高所得者ほどメリット大。理事長加入で個人も法人も節税可能

節税効果 ☺☺☺☺☺
節税難易度 ☹☹☹☹☹

■確定拠出年金って何？

確定拠出年金制度とは、拠出された掛金が個人ごとに区分され、掛金とその運用損益との合計額をもとに年金給付額が決定される年金制度です。

令和4年5月の改正で、一定の要件を満たす65歳までの人に加入対象範囲が拡充されました。確定拠出年金を利用できる人が増えるので、今後ますます注目の制度です。

退職金制度や確定給付年金制度（DB）との大きな違いは、「加入者自身が自己責任で運用する」という点です。そのため加入者が運用知識を身につける必要があります。むずかしく思われるかもしれませんが、運用次第で年金額を増やせるおもしろさがあるともいえます。

運用商品としては、預貯金、公社債、投資信託、株式、保険商品などがあります。

・２つの型がある

確定拠出年金制度には次の２つの型があります。

①企業型DC…事業主が掛金を拠出し、従業員が加入者となります。

②iDeCo…基本的には60歳未満かつ公的年金の被保険者が個人で加入し、自分で掛金を拠出します。

加入者自身が運用する、という点は共通です。

■どのような節税効果があるの？

（1）拠出時

①医療法人が企業型DCを利用した場合の節税効果

医療法人が拠出した掛金は全額が経費となり、加入者個人に対する給与とはなりません。ですから、税金、社会保険料がかかりません。また、社会保険料の企業負担分ももちろんかかりません。
つまり拠出金額をそのまま医療法人から加入者個人へ移すことができ、給与として支給した場合と比べて、DC加入者の所得税、住民税を減らすことができます。

また、加入者本人が掛金を拠出する選択制DCという制度があり、この場合は医療法人の掛金負担はありません。

②個人事業主のドクターがiDeCoを利用した場合の節税効果

個人の拠出分は全額が所得控除の対象となり、所得税、住民税を減らすことができます。

（2）運用時

企業型DCもiDeCoも運用時の運用益は非課税（特別法人税の課税対象ですが、令和5年3月31日まで非課税）です。

（3）給付時

給付時には課税されますが、年金払いの場合は公的年金等控除が、一時払いの場合は退職所得控除が受けられます。

（4）注意点

節税効果が期待できる制度ですが、デメリットとして、60歳まで受給できません。そのため転職や退職時の退職一時金として活用することはできません（転職先の制度に移換することはできます）。
また、掛金の金額は自由に決めることができますが、次の表のとおり拠出限度額が決められています。

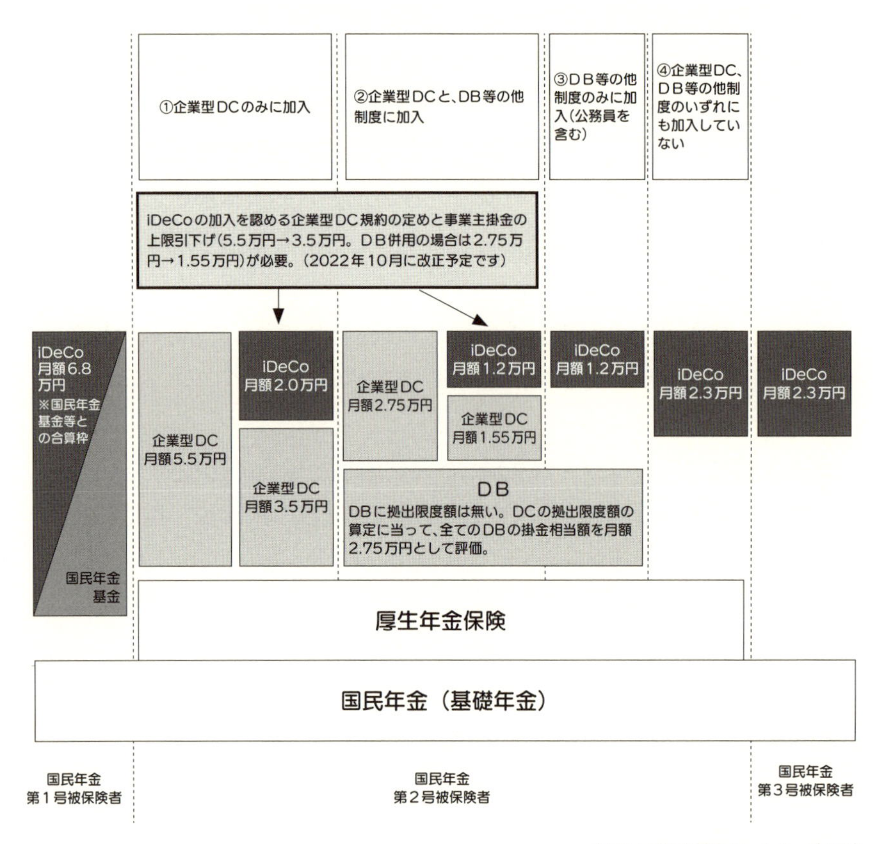

（出典：厚生労働省ホームページより）

Point

高所得者ほどメリットが大きい制度のため、理事長や役員のみの加入でも十分に節税効果があります。
理事長が加入した場合は、理事長個人と医療法人の両方の節税をすることができます。ぜひ加入を検討してみてください。

26 親族からの建物使用・賃借料

親族間の地代家賃は、「適正な金額」に留意

節税効果 ☺☺☺☺☺
節税難易度 ☹☹☹☹☹

クリニックの開業にあたっては、土地や建物を親族から賃借し、イニシャルコストを抑えようとお考えの先生も多いと思います。しかし場合によっては、せっかくイニシャルコストを下げたのに、支払った賃借料が費用にできず、結果的には税コストが上がってしまうこともあります。そこで、どのようなときに費用にならないのかを含め、税務の取扱いについて気をつけるべきことを紹介していきます。

まず、生計を一にする者が所有する土地、建物等をクリニックが賃借し、賃借料を支払った場合、これは必要経費になりません。ただし、その土地や建物に対する固定資産税や修繕費については、事業所得の計算上必要経費とされます。

生計を一にしない親族から土地、建物等を賃借した場合は、基本的に毎月支払った賃借料は事業所得の計算上必要経費になりますが、適正な賃借料相当額より著しく過大、または過少な料金設定であれば、問題が発生します。

適正な賃借料相当額とは、その土地、建物の固定資産税評価額や近隣の平均的な賃借料等を計算根拠とし、そこから導き出した金額のことをいいます。

この適正な賃借料相当額よりも著しく過大な料金設定であれば、過大分は寄付金と認定され、事業所得の計算上必要経費から除かれます。

このように生計を一にする者への支払いや、生計を一にしない親族でも過大な支払いであれば問題があると説明すると、それでは節税効果がないじゃないかと思われるかもしれませんが、そうではな

いのです。

生計を一にしない親族でも、その方が収入がなければ、適正な金額の賃借料を支払うことで、専従者として給与を支払うのと同様に、簡単で効果も高い節税が期待できます。所得税は累進課税ですから、その親族の所得とのバランスを考えることで、大きな節税効果が期待できるのです。だからこそ、よく考えて契約を結びましょう。

【具体例】

ケース①

所得1200万円の医師Aの所得税負担額

A　1,200万円×33％－1,536,000円＝<u>2,424,000円</u>

ケース②

所得1,200万円の医師Aが収入のない方B（生計を一にしない親族）に、年間120万円の家賃を払った場合

A　（1,200万円－1,200,000円）×33％－1,536,000円
　　＝2,028,000円

B　（1,200,000－0）×5%＝60,000円

2,028,000円+60,000円＝<u>2,088,000円（A・B合計所得税額）</u>

上記ケース①とケース②、を比較するとケース②の方が、336,000円分所得税負担額が少なくなります。

※所得税の計算については16ページを参照ください。

Point

生計を一にする者に賃借料を支払っても経費になりません。
生計を一にしない者に賃借料を支払う場合は適正な金額を設定しましょう。

27 絵画の減価償却

改正によって減価償却できる美術品が増加！

節税効果

節税難易度

美術品は、「時の経過により価値の減少しない資産」であるという考え方から、減価償却資産に認められるものは少額なものに限られていました。

しかし通達の改正により、その取扱いが変更されました。

■美術品等についての減価償却資産の判定について

平成27年度以後に取得する美術品等については、1点当たりの取得価額が100万円未満であれば、原則減価償却資産に該当することとして取り扱われます。

また、「ロビーなど不特定多数の者が利用する場所の装飾用や無料展示用に取得されるもの」など価値減少が明らかなものについては、1点100万円以上であっても減価償却資産として判断できるようになりました。

以下のとおりです。

<table>
<tr><td colspan="3">古美術品、古文書、出土品、遺物等のように歴史的価値または希少価値があり代替性のないもの</td><td rowspan="2">非原価償却資産</td></tr>
<tr><td rowspan="4">上記以外</td><td rowspan="2">取得価額が1点100万円以上</td><td>下記以外</td></tr>
<tr><td>時の経過によりその価値が減少することが明らか</td><td rowspan="2">原価償却資産</td></tr>
<tr><td rowspan="2">上記以外</td><td>下記以外</td></tr>
<tr><td>時の経過によりその価値が減少しないことが明らか</td><td>非原価償却資産</td></tr>
</table>

Point

減価償却をしていない美術品について、減価償却の検討をしましょう。

28 領収証がないときの経費計上

領収証に代わる、事実を証明する証拠を残す

節税効果 ☺☺☺☺☺
節税難易度 ☹☹☹☹☹

通常、経費処理をするためには領収証が必要です。ですが、すべての支払いに領収証がもらえるわけではありません。次のようなケースが代表的です。

・近距離電車・バスなどの運賃
・自動販売機での購入
・冠婚葬祭の祝儀や香典

電車やバスの近距離の乗車は、ほとんどの場合、領収証がもらえません。もちろん窓口でお願いすれば発行してくれますが、乗車するたびにわざわざ発行してもらう人は少ないでしょう。自動販売機で買ったときは、領収証を発行してくれる人がいません。祝儀や香典を持って行った際に、領収証を発行してくださいとは言えないですね。

では、これらはすべて経費にできないのでしょうか。

結論から言えば、そうではありません。このように通常領収証が受領できない場合には、事実として支払いがわかるもの（冠婚葬祭なら招待状や案内状など）を準備し、出金伝票や経費精算書に実際に経費を負担した者が記入・押印することなどにより、領収証に代えて経費に計上することができます。

領収証はあるものの宛名が書かれていなかったり、宛名が「上様」だったり、日付が入っていない場合も、同じように処理しておくと

よいです。

領収証を紛失した場合は、再発行を依頼しましょう。

領収証がない場合に、いちばんのポイントになるのは、その支払いが「病医院のためのもの」かどうかです。医学会参加のために使った電車代やバス代は当然に経費となりますが、プライベートな用事で役所などへ行った費用は経費になりません。

もう1つ、「事実として支払った」かどうかも重要なポイントになります。たとえば恩師の子息の結婚式だから祝儀を20万円、30万円包んだと言っても、なかなか税務署は納得しません。常識の範囲内であることが重要です。

Point

領収証がない場合は、経費精算書を作成しましょう。

29 節税計画の立案

早期の利益予測が、節税対策の効果を高める

節税効果 ☺☺☺☺☺
節税難易度 ☹☹☹☹☹

税理士に対する相談で多いのは、やはり「税金を少なくしたい」というものです。もちろん、われわれも顧客が無駄な税金（税金に無駄はないですが、通常に処理をすれば納める必要のない税金のこと）を納めることは歓迎しませんので、思いは同じです。

しかし、顧客と大きく違うのが、「節税対策には時間とある程度の資金が必要だ」という考えです。

本書でも、いくつかは申告直前に行なっても節税できる方法を紹介しています。ただ、それらの多くは、節税金額が限定的であったり対策可能な方が限定されていたりします。直前の対策では間に合わないことが多々あり、結果的に多くの税金を納めることになってしまうケースが少なくありません。

それを回避するのが、事前のしっかりとした会計処理による利益予測です。つまり先生と税理士でともに立てる計画が必要なのです。

利益予測は、納税額の予測につながります。納税額がわかれば、必要な節税対策の量がわかるのです。もちろん「1円も払いたくない」という場合は別ですが、ほとんどの先生は、社会的信用や金融機関対策も含め、ある程度の利益や所得を出すことは納得されています。したがって、そのある程度の利益（所得）水準と予測利益（所得）との差が節税対策の量ということになります。

さらに、その量の節税対策をするのに必要な資金を確保できるかどうかにも、利益予測が必要になってきます。極端な話、節税対策をしたために一時的に資金が不足し納税資金が足りなくなるという

事態も起こりかねないからです。そうならないためにも、予測をしっかりと行なわなければならないのです。

計画が重要なのは、節税対策の方法の選択にも大きくかかわってくるからです。

たとえばある医療法人は、当年の予測利益がおよそ1,500万円になり、節税対策として養老保険に加入しました。養老保険は契約内容が特定の要件を満たせば掛金の２分の１を損金算入できますから、経費が1,500万円になるよう3,000万円の保険料を支払い、結果、その年は税金が0円ですみました。

しかし、この医療法人は翌年に新築で分院を計画しており、①建築費6,000万円、②設備費1,400万円、③人材確保費300万円、④広告宣伝費300万円の、合計8,000万円の資金が必要だったのです。

当初は手持資金で5,000万円を賄い、3,000万円を借入れする予定でした。ところが節税対策のために手持資金が3,000万円減り、2,000万円になりましたから、結果的に6,000万円を借入れすることになってしまいました。つまり節税のためにお金を借りたことになります。果たしてそれでよいのでしょうか。

会　計	
予測利益	1,500万円
節税対策	△1,500万円
最終利益	0万円
納税額	0万円

キャッシュベース

資　金	
手持資金	5,000万円
節税対策資金	△3,000万円
納税資金	0万円
差引期末手持資金	2,000万円
翌期必要資金	△8,000万円
必要借入額	6,000万円

計画をしっかり立てていれば、そこまでの節税は必要なく、資金も3,000万円も使わなくてすんだのです。

翌期の経費であっても、内容によっては当年の経費となるものがあります。

たとえば③の人材確保費です。人材紹介会社を通じて雇うなら、決算（年度末）までに雇入れを決めれば、その紹介料は当年の費用になります。④の広告宣伝費も、駅看板などを「オープン予定」から出すのであれば、その掲出開始日を決算期末までにし、さらに1年間分を前払いすれば、これも当年の費用とすることができます（短期前払費用に該当しないCMなどは不可。118ページ参照）。

こうして人材確保費の300万円と広告宣伝費のうち200万円を今期の費用にできれば、節税対策必要額は1,000万円になりますから、保険の加入もその倍の2,000万円ですむことになります。すると借入金は差額の1,000万円も少なくすることができたのです。

会計	
人材確保費	△300万円
広告宣伝費	△200万円
予測利益	1,000万円
節税対策	△1,000万円
最終利益	0万円
納税額	0万円

キャッシュベース

資金	
手持資金	5,000万円
人材確保費	△300万円
広告宣伝費	△200万円
節税対策資金	△2,000万円
納税資金	0万円
差引期末手持資金	2,500万円
翌期必要資金	△7,500万円
必要借入額	5,000万円

このように、計画に沿った支出予定経費の前倒しも正しい「節税対策」です。

こうした対策は、しっかりと計画を立てていなければできません。これまでとくに計画を立てたことがないという先生は、まずは税理士といっしょに計画を立てることから始めてください。貯蓄も計画からですが、かしこい節税も計画からなのです。

Point

事前の収益予測が大切です。
医院の将来計画も必要です。

30 福利厚生費

社員旅行や保養所を、交際費や給与扱いにしない工夫を

節税効果
☺☺☺☺☺

節税難易度
☹☹☹☹☹

税務上福利厚生費として認められるポイントがいくつかあります。ここでは保養所、社員旅行、永年勤続表彰などについて見てみましょう。

福利厚生制度の税務上の取扱い区分表

	福利厚生費	交 際 費	給 与
保養所	社員全員が一律公平に利用できる	得意先など社外の者が使用する	社員の一部の者だけが利用できる（または周知されていない）
社員旅行	・旅行日程が４泊５日以内である ・全従業員の50％以上が参加している	・得意先などを無料または低額で招待する ・特別豪華な食事をする ・特別豪華なホテルに宿泊する	不参加者に対して旅行代金の一部または全部を支給する
忘年会・新年会等	・全従業員が参加できる状況である ・常識の範囲内の金額である ・一次会のみである	・得意先を含めたものである ・一次会ではないもの	特定の個人だけが法人業務に関係なく飲食したもの
表彰制度（金品が支給されるもの）	・金銭や金券以外のもの ・自由に選択できない物品 ・常識的に高額すぎないもの ・前回の表彰から５年以上間隔があいていること	・得意先などや仕入先などへの表彰	・成績優秀者等への金品 ・永年勤続表彰で金銭や金券によるものや自由に選択できる物品 ・高額すぎる物品

じつは、福利厚生費は税法上、直接的に定義されてはいません。したがって福利厚生費となるかどうかを判定するには、表を見ていただくとわかるように、「交際費」や「給与」に該当しないと判断されるかどうかで決まります。

どちらにも該当しないとなった場合のみ、福利厚生費として取り扱われることになります。また、これらの判断基準において数値や金額基準が明確になっていないことがあるため、多額の福利厚生費が発生する場合には事前に専門家と福利厚生制度の院内規定をつくるなどして準備・検討しておくことが必要です。

表彰制度の賞品に旅行をプレゼントしたいという案もあるでしょう。そして旅行だと、ツアーでは喜ばれないことが多いので、旅行券などで自由に選ばせてあげようということになりがちです。その場合は表彰者に、事前に旅行計画書を、実施後に旅行日、旅行先、旅行会社への支払金額のわかる資料を提出してもらいます。旅行は、旅行券支給後1年以内にしていなければなりません。これらの要件を満たせば課税しなくてもよいことになっています。ただし旅行券の支給額より実際の旅行代金が少なかった場合、残余部分は給与課税される可能性があります。ご注意ください。

※国税庁の常識の範囲内とされる旅行券の支給額はつぎのとおりです。
満25年勤続者　10万円相当　　満35年勤続者　20万円相当

Point

スタッフ全員が公平に利用できるようにしないといけません。
現金や金券の支給は原則給与扱いになるので工夫しましょう。

31 ハッピーリタイアメント

閉鎖か承継か売却か、自身の将来を描いて対策を

節税効果
☺☺☺☺☺

節税難易度

ほとんどの先生は、いずれくるリタイアのことまでは考えておられません。

けれど、リタイアまでを含めて考えるのが人生設計であり、医院経営でもあります。頭のなかには、常に置いておかなければなりません。では、どのように考えればよいのでしょうか。

リタイアメントの形態は大きく分けて３種類あります。

１つは、身体の許す限り働き続けて動けなくなったら辞める、診療所の閉鎖です。

もう１つは、ある程度の年齢まで続けて、息子など後継者に譲り渡す、診療所の承継です。

最後の１つは、ある目標の時期まで続けて、その時がきたらまったくの第三者に診療所を買い取ってもらう、売却です。まだまだ少ないのですが、今後は増えるのではないかと考えられています。

それぞれのリタイアメントについて、どうすればハッピーになれるのかを見ていきましょう。

①診療所の閉鎖

診療所を閉鎖するいちばんの理由は、後継者不在です。後継者がいないケースは大きくとらえて２つあります。１つは子どもが医者にならない、なっていても診療科目が違う場合です。もう１つは診療圏の患者層の変化によって医院の存続意義が失われてしまい、誰も引き継がない場合です。これらの場合には、自身が健康であり、かつ医院に通い続けてくれる患者さんがゆるやかに減少してほぼい

なくなるまで続け、折を見て閉鎖することになります。

開業した（する）ときのことを考えてください。開業地域が決まったら、まず診療圏調査を行ないます。患者さんの数も調べますが、同じ範囲内の競合医院の状況についても調べたはずです。そのときに70歳を超えた医院長がいる診療所はありませんでしたか。80歳を超えている医院長もいたのではないでしょうか。その方たちがリタイアしたときはどうだったでしょうか。ハッピーリタイアだったでしょうか。限界まで診療を続けることも1つのハッピーリタイアかもしれませんが、家族や自分自身の幸せのかたちもよく考えましょう。

②診療所の承継

子どもが医師免許を取得し、ある程度の年齢になったときに譲り渡すことがあります。これを承継と言います。自身の子どもに診療所を承継させるメリットにはつぎのようなものがあります。

- 自身の子どもなので患者離れがあまり起こらない
- すでに患者がついており、かつイニシャルコストがほぼ不要なので経営失敗のリスクが低い
- 自身も手伝う形で診療所の経営をサポートできる

子どもに承継させる場合に避けて通れないのが、相続対策です。相続対策とは主として「税金対策」ですが、もう1つ忘れてはならないのが円滑な「遺産分割」です。

医院にかかわる財産はかなり高額になります。とくに診療所の土地建物が自己保有の場合には、財産の半分程度をこれが占めることもあります。この場合、診療所を承継する者以外の相続人から不満の声が上がることもあり、医院運営に必要な財産を受け継ぐことができなくなることもあります。仮にできたとしても、現金などの財産はあきらめなければならず、納税資金に困窮する事態も起こりえますから、その対策を十分に行なっておかなければなりません。

【相続対策一覧】

- 相続財産の棚卸：現時点での全資産を確認・評価し、相続税額を試算
- 相続財産の移転：贈与税の基礎控除を使った歴年贈与などによる生前の推定相続人への移転
- 相続財産評価額の引下げ：貸家建付地や小規模宅地等の特例を使った評価減を活用
- 相続税計算上の節税：承継予定者の配偶者や子などとの養子縁組による基礎控除額の拡大
- 納税資金の確保：生命保険の活用、金融資産や納税用売却可能資産の確保
- 遺産分割対策：遺言書の作成

これらの対策を「いったいどれだけ行なえばいいのか」というのはまさにケースバイケースで、一概には言えません。子どもが２人いて長男に継がせるつもりで早い段階から生前贈与で財産を譲っていたところ、諸事情により次男が後を継ぐことになった場合には、長男から財産を返還してもらわなければならなくなります。素直に返還してくれればいいですが、拒否されてしまえば対策を講じていたことが反対に大きな障害となってしまいます。

相続対策の実行は慎重にしなければなりません。まずは相続税の試算から行なって納税予定額を算出し、その額に応じて実行すべき対策を判断しましょう。

相続対策をしなければならないという悩みは伴いますが、自身が元気なうちに子どもに承継できれば安心して第二の人生を謳歌することができますから、ハッピーリタイアと言えるのではないでしょうか。

③診療所の売却

子どもがいなかったり、いても診療所を引き継ぐ意思がなかった

り、あるいは子どもが大きくなるのを待たずにリタイアしたいという場合に考えるのが売却です。

売却のメリットは次のようなものがあります。

・最適の時期に売ることができる
・早期にリタイアすることができる
・売却後の医院の経営状態を気にしなくてもよい

子どもに承継させるには、子どもが成人し医師免許をもつまで待たねばなりません。承継できる状況になったときには、外部環境の変化により医院としてはピークを過ぎてしまっている場合があります。そのときに子どもが引き継がないと主張すれば、結果として①の選択肢しかなくなってしまう可能性があります。それでよいのでしょうか。

売却の場合は、時期を選びません。自ら最適の時期を選んで売ることが可能です。医院としてまだまだ成長余力があるうちに売却することでその対価を高額に設定できますから、大きな資金を一挙に手にすることができる場合もあります。その資金を元手に新たに別の場所で開業してもいいですし、悠々自適に暮らすという選択もあります。第二の人生を自由に決めることができるのです。これこそハッピーリタイアなのかもしれません。

①②③のどれがハッピーリタイアなのかは人それぞれです。しかし、いずれにしても、自分にとってどうするのがハッピーリタイアなのかを、いまのうちから考えて行動することが必要なのです。

Point

開業時からリタイアのスタイルを考えておきましょう。

32 自宅の一部を経費にする

自宅で仕事をするときは、働く部分を事業所として扱える

節税効果
☺☺☺☺☺

節税難易度
☹☹☹☹☹

開業の形式はさまざまです。ビルの一室を賃借して開業するケースもあれば、最初から土地を買ってそこに医院を建てる方もおられるでしょう。自宅の一部を医院として改装する、あるいは自宅を建築する際に医院を併設する例もあります。

これらについては、つぎのようなものが経費の対象になります。

テナント開業 ⇨ 賃料、礼金および返還されない保証金等(金額により償却が必要)

医院建築 ⇨ 建築請負金額、それにかかる借入金利子、登記費用、不動産取得税、固定資産税

医院併用住宅 ⇨ 新築ならば医院部分の請負金額、改装ならば改装費、該当する部分の不動産取得税および固定資産税

※新築ならば建物として減価償却、改装の場合は内装設備として減価償却します。

このようにきっちりと事業用部分と自宅部分が分けられていれば、税務上とくに問題となることはありません。

問題になりがちなのは、自宅の一部を使って執筆活動をしたり、医療アドバイスをしたり、事業に関わる行為を行なっている場合です。

こういうときはどのようにすればよいのでしょう。

結論から言えば、使用実態が明確に区分されていれば、経費に算

入することは可能です。

自宅の書斎部分で行なっていた場合には、書斎部分の面積を割り出し、その部分に対応する家賃や建築費を経費にすることができます。とくに持ち家の場合は、事業用に転用開始した日を明確にすることと、業者が発行した建築請負明細書等を保管しておくことが必要です。建築請負明細書は、償却費を計算するもとになりますから、大切に保管しておきましょう。

建築請負明細書がない場合は、再発行を依頼するか、または経費とすることを諦めることになります。

Point

事業を行なう場所を部屋単位で明確に区分しましょう。
経費算定には建築請負明細書などが必要です。

33 開業費の償却

開業手続き・準備の費用は、収益を見て償却額を決めよう

節税効果
☺☺☺☺☺
節税難易度
☹☹☹☹☹

医院を開業するにあたっては、さまざまな手続きや準備が必要です。当然、多額の費用を伴うことがほとんどです。

動き出した当初から医業収入が得られるケースはまずないでしょう。医業収入があれば税務署に事業開始の届出をすませ、かかった費用を経費にすればいいのですが、多くの方は医院開業後しか収入がないため税務上は診療開始日が開業日とされます。それまでは届出ができません。

では、開業の手続きや準備にかかった費用はどう処理すればよいのでしょうか。

その年の収益に直接関係のあるもの、たとえば「薬品仕入」や「宣伝広告費」は、その年の必要経費に算入できます。それ以外の開業日までに発生した費用は開業費として計上します。

会計上、開業費は5年で均等償却と定められていますが、税務上は任意償却が認められており、1年で全額を償却することもできます。1年で全額を償却する場合は、わざわざ必要経費と開業費に分ける必要はありません。

開業前の費用については開業費として一括で計上し、その年の収益を見て償却する額を決めるとよいでしょう。

注意すべきは、開業前に購入した10万円を超えるパソコンや机、椅子などの固定資産や、返還されない保証金などの繰延資産は開業費にはできないということです。これらについては、きちんと分けて、通常の耐用年数に合わせて減価償却をしなければなりません。

【開業前支出の例】

現地視察等の旅費交通費 ⇨ 開業費
業者との電話代や郵送料など通信費 ⇨ 開業費
打合わせにかかる飲食費 ⇨ 開業費
開業予定地撮影用のビデオカメラ代（12万円） ⇨ 固定資産
診療所用物件の賃貸契約にかかる礼　金 ⇨ 繰延資産
〃　家　賃 ⇨ 開業費
〃　仲介手数料 ⇨ 開業費

Point

開業を思い立って準備を始めたときからかかった費用は開業費です。
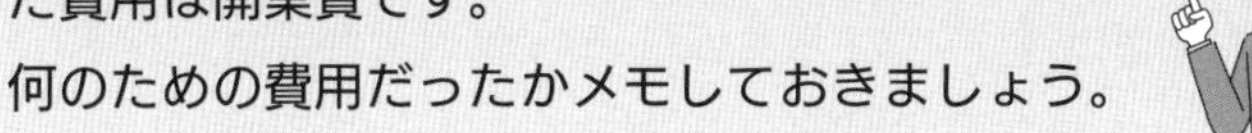
何のための費用だったかメモしておきましょう。

34 設備投資の採算性

医療機器などの導入で、増患と節税の一挙両得を

節税効果
☺☺☺☺☺

節税難易度
☹☹☹☹☹

　そもそも利益が出ていない医療機関の場合は、節税を考える必要はなく、それ以前の問題として経営そのものについて考えなければなりません。

　とくに十分な検討を要するのが、設備投資です。新しい設備の導入によって患者さんへのサービス向上が果たせ、近隣の診療所や病院との競争力も高まり、増患→増収へと計画どおりつながればいいのですが、計画どおりにならないことも多々あります。

　設備投資は大きな資金が伴うものですから、節税対策に先立って、採算性についての考え方を説明しましょう。

■設備投資の採算性の分析

　設備投資の採算性に関して、キャッシュフローの観点から考えてみます。

　その方法の一つとして、設備投資により増加するキャッシュを見積りその見積金額と投資額のどちらが大きいかを比較する方法があります。

　具体的な数字を例にご説明します。

【例】医療用レーザー設備（1,000万円）を導入すべきか？

　設備投資により増加するキャッシュを正確に見積もることは困難ですが、見積りの結果、下記のケースが想定できたと仮定します。

	ケース①	ケース②	ケース③
増加キャッシュ	1,250万円	1,000万円	750万円
発生確率	30%	50%	20%

この場合、増加キャッシュの期待値は各パターンの加重平均で求めることができるので、1,025万円（1,250万円×30％＋1,000万円×50%＋750万円×20%）となります。

そのため、増加キャッシュの期待値が1,025万円、投資額が1,000万円となり増加キャッシュの期待値が投資額を上回っているため、投資を実行するという判断になるでしょう。

さらに精度の高い設備投資計画を考える場合には、税理士等の専門家に相談されてDCF（ディスカウント・キャッシュ・フロー：正味現在価値法）法などを採用されるとよいでしょう。

さて、設備投資がうまくいき、増患→増収へと計画どおりに進んで利益が出たとしましょう。その結果、多額の税金を支払うのでは困りますね。

そこで考えたいのが、一挙両得の「医療機器等の優遇税制」の活用です（63ページ参照）。

医療機器等の設備投資を行なった場合、特別に減価償却ができたり、税額の控除を受けたりすることができます。

- 「特別償却」とは、取得した事業年度に、通常の減価償却費のほかに特別の減価償却費を必要経費に算入できるものです。
- 「税額控除」とは、取得した事業年度に、取得価額のうち一定割合の税額控除が認められるものです。

このような優遇税制を利用して節税を図り、設備資金を早く回収し、さらに患者サービスを充実させることが大切です。

Point

しっかり計画して設備投資のリスクを軽減しましょう。
優遇税制の利用は税理士に十分問いかけましょう。

35 開業祝いの処理

現金とモノとでは、取扱いが異なる

節税効果 ☺☺☺☺☺
節税難易度 ☹☹☹☹☹

医院を開業するとたくさんのお祝いをいただきます。いただいた開業祝いは個人でもらってしまってよいのでしょうか。

結論は、「ノー」です。開業祝いは医院を始めることに対していただくので、事業に関連した収益と考えられ、収益計上しなければなりません。いただいたお祝いは必ずリスト化し、きちんと会計処理をしましょう。

ただし、いただくお祝いは、お花や金銭、または備品などさまざまです。それらすべてを収益として計上しなければならないのかというと、答えは「ノー」です。原則として収益計上しなければならないのは金銭だけです。金銭以外は収益計上する必要はありません（ただし10万円を超えるような高額な備品や著名な美術品などは収益計上が必要な場合があります）。

お祝い返しは、すべて交際費になります。この渡し先も記録しておかなければ使途不明となり、交際費にすらできなくなることもありますから注意が必要です。

いただくにしろお返しするにしろ、気持ちも大切です。どちらもしっかりと記録と記憶に残しておきましょう。

Point

現金や高額なお祝いは収益になります。
お祝い返しは経費です。

36 増患・増収投資

広告宣伝におカネを使い、増患と節税の一石二鳥を図る

節税効果 ☺☺☺☺☺
節税難易度 ☹☹☹☹☹

開業してある程度の期間を経ると収入の伸びが鈍くなります。その理由は主に競合医院の出現と設備の新旧の差に求められますが、ここではマーケティング面から要因と対策、その費用の扱いについて説明します。

患者さんの希望に沿った治療や処置ができるようにし、それを患者さんに知らせ、患者が治療や処置を受けやすくするために行なう活動全般がマーケティングです。具体例を見ていきましょう。

①診療行為（サービス）の紹介

医療に携わらない一般の人びとのほとんどは、診療科目が整形外科、内科、小児科などさまざまに分かれていても、医師は基本的には同じことを学んできており、医師免許にもそうした区分がないことを知りません。同じ診療科目を標榜している医院でも、先生ごとに診療行為が異なることを想像できる人はさらに少ないでしょう。そういう多数の一般の人びとに向けて診療科目を羅列しても、訴えかけるものはありません。ではどうすればよいのでしょうか。

つぎの例を見てください。

A整形外科：骨折・脱臼・骨粗鬆症など
B整形外科：スポーツなどによる骨折・脱臼、出産後の骨粗鬆症など

いかがでしょう。どちらも同じことを明記していますが、診療を受ける事態に直面した患者さんがどちらを思い出すかといえば、お

そらくBでしょう。

このように具体的に表現することで、一般の人が自分の症状をどの医院に診てもらうのがよいか連想することができます。もっとも、この例のようなことはすでに多くの先生がされています。いまさら表記を変更しても効果がないだろうと思われるかもしれませんが、そうではありません。増患スピードが鈍るのは、これまで表現していた診療についてのニーズはかなり掘り尽くしたということです。新しいニーズをつかむ表現に変えれば、新しい患者さんを得ることができるのです。もちろん表現だけではなく、新しい治療法などを習得して行なうようになったら、それも表明していくようにしましょう。

②伝達方法の工夫

では、新しいニーズをつかむ表現をどうやって潜在患者に伝えるかです。医院の経営は地域に根差して成り立つ要素が圧倒的ですから、基本的には駅などの屋外看板や電柱広告といったものが主流になります。

いまはインターネットで検索したうえで来院する人が多くなっていますから、看板には詳しく書けない医院の診療方針や施設の紹介などをインターネットで行なうとよいでしょう。

ただし、屋外広告等と同じくインターネットサイトによる情報提供も広告規制の対象となっていますから、ホームページに掲載する内容には気をつける必要があります。

ほかに広告で気をつけなければならないのは、各所に複数存在する看板等が同じ医院のものだと見た人にひと目でわかるようにすることです。つぎのような看板では、複数掲出していても果たしてそれに気づく人がどれだけいるか疑問です。

A駅　○×整形外科　○△市○△1-2-3　電話番号03-××××-××××
B駅　○△市○△1-2-3　○×整形外科　電話番号03-××××-××××

文字や文章だけではなかなか記憶に残らないものです。ましてや見た人がAとBは同じ医院の看板かどうかを確認しようとすれば、名前だけでは足りません。少なくとも所在地か電話番号は覚えなければならないのです。関心がある人なら覚えてくれるでしょうが、たいがいは覚えてくれず、この整形外科が多数の広告を出すほどの医院だとも気づかないでしょう。では、つぎのような看板ではいかがでしょうか。

A駅　○×整形外科　○△市○△1-2-3　電話番号03-××××-××××
B駅　○△市○△1-2-3　○×整形外科　電話番号03-××××-××××

これなら同じキャラクターが入っていますから、多くの人が同じ医院の看板だと気づくでしょう。患者さんにとってはあちこちで見かける見慣れた看板の医院として記憶にとどまるはずです。いざ医院を選ぶことになったときに選択される可能性が高まるのです。

このように医院のロゴやキャラクターを作成し、看板等の広告媒体に統一性をもたせると伝達効果は高まります。プロのデザイナーに依頼してロゴやキャラクターを作成してもらってはいかがでしょう。

③来院を誘導する

診療行為すなわちサービスメニューを上手に告知しても、患者さんの来院に結びつかなければ意味がありません。

医院が駅のそばにあるなら、駅看板に地図を載せるか駅前に誘導看板を置くことで誘導できます。しかし、駅から離れた場所にあれば、そうはいきません。どう誘導すれば効果があるのでしょうか。

人の移動には、ある程度の法則があります。その移動の法則を利用して広告を効果的に打つのです。具体的に見ていきましょう。

●徒歩移動

徒歩で移動する人を来院に結びつけるには、駅やバス停、主要な道路から医院まで、電柱看板で進路を案内するのがよいでしょう。

●車移動

最近の車にはほとんどカーナビゲーションシステムがついていますから、車でこられる人に向けては電話番号で検索できるようにしておくことです。カーナビゲーションシステムの電話番号検索は、タウンページに掲載することによって検索対象になります。タウンページの発行は年１回ですから機を逃さないようにしましょう。さらに電話帳がなくてもわかるように、携帯電話サイトで検索可能にしておきましょう。医院の駐車場がわかりにくい場所にある、満車であることが多いという場合は、駐車場までの地図と近所にある時間貸駐車場も紹介するといいです。

●バス

バスの路線があるなら、車内放送広告をかけるのが一般的です。ただし、多くのバスは１年契約であることが多く、また原則として医院にいちばん近い停留所でしか放送しません。そのため、すでにほかの広告主がいれば利用できないこともありますから、まず問い合わせてみましょう。空きがなければ、車内広告を掲載してもいいでしょう。

④その他

また、ホームページの検索順位を上げるようなSEO対策やGoogleマップを利用したMEO対策、地域の病院検索サイトや情報紙への掲載、そして患者さんの予約システムの導入といったことも対策のひとつとして考えられます。SNSを活用した広告や既存の患者さんへの予防接種のお知らせ等の定期配信、SNSと予約システムを連携させた診療予約の利用も効果的でしょう。

すでに取り組まれていることもあるでしょう。それでも増患になかなかつながらないというときは①から③までを一連の流れで実行しているか確認してみてください。マーケティングの効果は、「開示（説明）・伝達・誘導」が揃ってはじめて発揮されます。

こうしたマーケティング活動で使った費用はもちろん経費となります。また、契約に則って1年分を前払いした場合は短期の前払いとして全額費用にできることもありますから、その節税効果は大きくなります。来期は患者が増え、今期は節税できるとなれば一石二鳥ですね。

【マーケティング費用の経費処理と短期前払の簡易判定】

- 看板・タウンページ・インターネット掲載料 ⇒ 広告宣伝費：短期前払適用可能
- CM放送料・車内放送料・雑誌掲載料 ⇨ 広告宣伝費：短期前払適用不可
- キャラクター・ロゴ制作料 ⇨ 無形固定資産（意匠権・商標権）：減価償却。ただし著作権登録しなければ広告宣伝費（広告制作料として単発経費となります）

Point

短期の前払いを活用しましょう。

37 派遣医へのタクシー代

派遣医へのタクシー代は、タクシーチケットで渡そう

節税効果 ☺☺☺☺☺
節税難易度 ☹☹☹☹☹

派遣医に自宅から病院までのタクシー代を支払うと、原則として給与所得とみなされますから、源泉徴収をしなければなりません。

電車・バスなど通常の交通機関の交通費を支払う場合は非課税扱いとなりますが、タクシー代は通常必要な範囲を超えているため、給与所得とみなされるのです。

ただし深夜や早朝で公共交通機関が利用できないため、やむを得ずタクシーを利用した場合は例外として非課税扱いになります。

従業員とは違って、領収証をもらえるとは限らないので、派遣医にタクシー代を支払うときは、タクシーチケットで渡すようにしましょう。

Point

深夜や早朝以外にタクシー代を支払うときは要注意です。

38 旅費規程の作成

旅費規程を整備して、日当の範囲と金額を合理的に

節税効果 ☺☺☺☺☺
節税難易度 ☹☹☹☹☹

医療法人では、理事については経費と認められるものを支給できないことが多いのですが、出張のときの日当は理事にも支給することができます。しかも受け取った金額に所得税等が課されません。医学会への出席など、出張する機会は少なくないでしょうから、節税効果は高いといえます。

ただし、個人事業の場合は、従業員への日当は必要経費となりますが、事業主本人については実際に支出した金額のみが必要経費として認められることになります。

具体的に説明していきましょう。

■医学会等に出席する場合

医学会等に出席するための出張に要する旅費や日当は、医師としての業務を遂行するために必要と認められている費用です。

ただし、海外で学会が行なわれるときなど、せっかくの機会だからと観光を兼ねたり、家族を同伴したりすることがあるかもしれませんが、観光費用や家族の旅費は必要経費になりません。観光を組み込んだり家族を伴って行く場合は、医学会の日程表など関係書類を保存整理し、医学会の部分と観光の部分とを合理的に区分しておくようにしてください。

■理事に支給する場合

医療法人においては、理事自らが出張する機会も多いと思われます。その１日当たりの出張旅費や日当は、旅費規程が整備されてい

ないと、理事に対する報酬ではないかと疑われることがあります。出張の日当が必要経費として認められるには、あらかじめ旅費規程を作成し、範囲と金額を明文化しておく必要があります。

では、必要経費ではないと否認されるケースには、どのようなものがあるのか見ておきましょう。

■給与所得にならない出張旅費

給与所得者が受け取る出張旅費は、その出張に必要な旅費の実費弁償であると考えられています。必要な旅費には、新幹線や飛行機などの運賃、ホテルなどの宿泊費のほかに、出張中の食費や雑費の支出を補うための日当も含まれます。

これらの費用は出張の目的や目的地、旅行者の地位などによってさまざまであるため、そのすべてを実費精算するのは事務上ほぼ不可能です。ですから給与所得者が出張旅費として支給を受けた金額が、その出張に通常必要と認められる範囲内であれば、所得税は非課税とされます。

その金額が通常必要と認められる範囲を超える場合には、その超えた金額については給与とみなされ課税されることになります。

■非課税とされる旅費の範囲

給与所得者に対する出張旅費の具体的な非課税の範囲については、所得税法基本通達にある「非課税とされる出張旅費の範囲」を参考にするしかありません。

この通達によると、非課税の範囲内かどうかの判定にあたっては、つぎに掲げる事項を勘案することになっています。

・その支給額が、その支給をする使用者等の役員および使用人のすべてを通じて適正なバランスが保たれている基準によって計算されたものであるかどうか。
・その支給額が、その支給をする使用者等と同業種、同規模の使用者等が一般的に支給されている金額に照らして相当と認められるものであるかどうか。

このように、通達は非課税の範囲についての考え方を示しているだけで、内容はあいまいです。したがって、その支給額の設定については、同規模の同業他社の旅費規程などを参考に、支給額が必要かつ妥当と認められる範囲内であるかどうかを判断しながら、旅費規程を作成しましょう。

Point

役職ごとに金額を決めることができます。
範囲と金額は適正なバランスを考慮しましょう。

39 税務調査に備える

ポイントをおさえ事前準備をしておけば税務調査は怖くない

節税効果 ☺☺☺☺☺
節税難易度 ☹☹☹☹☹

節税対策をお考えの方は、やはり税務調査のことが気がかりかと思います。そこで、医院における税務調査のポイントと、気をつけておきたいことをご紹介しておきます。

1．調査対象の選定

税務調査の対象先が選定される主な基準は、以下のとおりです。

①前回から長期間、税務調査が行なわれていない
②ここ数年で売上が伸びている
③前回の税務調査で重加算税が賦課された等の継続管理対象先

2．調査の流れ

医院の税務調査は、一般的に以下のポイントに沿って行なわれます。

- 医院の概況……診療時間や診療内容、保険収入・自費収入の割合、スタッフや院長の配偶者の勤務状況などを確認します。
- 事務の流れ……書類の流れを確認し、不自然な点がないか確認します。
- 現金調査……現金の管理方法および管理者を確認し、当日の現金実査を行ないます。
- 受付周りの確認……レジの状況（レジペーパーやレセプト）や、予約管理方法を確認します。
- パソコン内のデータ確認……パソコンの使用状況を確認します。

３．調査項目

主な税務調査項目は以下のとおりです。

（１）収入除外・雑収入除外

・自賠責収入

・自由診療収入

・窓口収入

・自己負担金の取扱い

・学校医／休日診療等

（２）経費

・交際費……医業収入の１％弱くらいが目安でしょう

・広告宣伝費

・人件費

（３）薬の横流し、自家消費

自家消費とは自分や家族が院内の薬を使用することをいいます。

（４）個人的経費の計上

（５）収入・経費の計上時期のズレ

４．窓口現金の管理について

医院の窓口収入は基本的に現金で行なわれるため、窓口現金の管理を徹底することで調査がスムーズになります。

現金管理の調査ポイントは、以下のとおりです。

・自費の窓口収入を除外しているケース……診療科目や規模に応じた標準的な自由診療収入割合により異常値を確認します。

・窓口収入を除外しているケース……保険診療はすべて自己負担割合が決まっているため、保険請求から容易に推計できます。

・窓口免除をしているケース……医院職員の自己負担金免除は福利厚生費であり、友人知人等の自己負担金免除は交際費になるといったように、免除対象者によって税務上の取扱いが異なるため注意が必要です。

故意でなくても間違いはあるものです。税務調査の日程は事前にわかっていますので、当日慌てないよう、前日にレジペーパーの確認をするなど予行演習をしておくとよいでしょう。

5．交際費について

詳しくは別項目でご紹介しますが、交際費はやはり調査の重要項目です。

交際費としての支出が私用ではなく医院のための支出であるという、事業関連性の立証が必要となります。領収証に相手先や参加人数を記入するなど、資料を整えておきましょう。メモを詳しく書くことで、立証責任は税務署にあると主張できます。

Point

事前準備と心づもりをしておけば、税務調査は怖くありません。

40 ふるさと納税の活用

自治体への寄付で所得税・住民税控除と特産品ゲット

節税効果 ☺☺☺☺☺
節税難易度 ☹☹☹☹☹

■ふるさと納税とは？

自分が任意で選んだ自治体に寄付をすると、寄付額のうち2,000円を超える部分について所得税と住民税から原則全額が控除される、それが「ふるさと納税制度」です（一定の上限はあります）。

自分の生まれ故郷だけでなく、応援したい都道府県・市町村など、どの自治体でも納税の対象になり、しかも寄付へのお礼として、お肉や米など特産品等をくれる自治体もあります。

控除の仕組みは以下のようになります。

【例】年収700万円の給与所得者で、扶養家族が配偶者のみの場合

30,000円のふるさと納税を行なうと、2,000円を引いた28,000円が控除されます。

←ふるさと納税額　30,000円→

適用下限額 2,000円	【所得税】所得控除による軽減 (30,000円－2,000円) ×20% =5,600円	【個人住民税】税額控除（基本分） (30,000円－2,000円) ×10% =2,800円	【個人住民税】税額控除（特例分） (30,000円－2,000円) ×（100%－10%－20%） =19,600円 ※所得割額の2割を限度

←所得税と合わせた控除額　28,000円→

なお、税率は所得税の限界税率を用いており、実際は年収によって0～45％のあいだで変動します。また、平成25年分から平成49年分については、復興特別所得税（0.21％）を加算した率になります。

収入だけでなく、家族構成、生命保険料控除や住宅ローン控除によっても上限が変わります。おおよその目安を知るには、総務省や各自治体のホームページを参考にしてください。また民間のふるさと納税総合サイトでは、寄付の限度額シミュレーションや各自治体の特産物等の情報を閲覧することができます。

【給与所得者の実質自己負担が2,000円になる寄付上限額（目安）】

区分	独身又は共働き※1	夫婦※2	夫婦と子ども2人（大学生と高校生）
年収1,000万円	180,000円	171,000円	144,000円
年収1,500万円	395,000円	395,000円	361,000円
年収2,000万円	569,000円	569,000円	536,000円
年収2,500万円	855,000円	855,000円	817,000円

※1「共働き」は、ふるさと納税を行う方本人が配偶者（特別）控除の適用を受けていないケースを指します。（配偶者の給与収入が201万円超の場合）
※2「夫婦」は、ふるさと納税を行う方の配偶者に収入がないケースを指します。

（総務省HPより抜粋）

■控除を受けるには

控除を受けるためには、原則としてふるさと納税を行なった翌年に確定申告を行なう必要があります。確定申告を行なうと、ふるさと納税を行なった年の所得税から控除されます。さらに所得税からの控除に加え、ふるさと納税を行なった翌年度分の住民税が減額されるかたちで控除されます。

確定申告を行なう際には、寄付を証明する書類（受領書）の添付が必要になります。電子申告の場合は、受領書を提出せずに保管しておく必要があります。

令和3年分の確定申告からは、寄付を証明する書類として、寄付ごとの「寄付金の受領書」に代えて、特定事業者が発行する「寄付金控除に関する証明書」を用いることができます。

特定事業者とは、国税庁長官より指定を受けた事業者であり、特定事業者の一覧は国税庁のホームページで確認することができます。「寄付金控除に関する証明書」は特定事業者のWebサイトよりダウンロード可能です。

●確定申告不要のワンストップ特例制度も

平成27年度税制改正により、確定申告が不要になる「ふるさと納税ワンストップ特例制度」が始まりました。つぎの①〜③が条件になります。

①確定申告の不要な給与所得者など（医療費控除等を受けられる方は除く）
②ふるさと納税を行なった自治体が5つ以内であること
③ふるさと納税先に、ふるさと納税ワンストップ特例の申請書を提出すること

この特例を受ける場合は、所得税からの控除は行なわれず、その分も含めた控除額の全額が、ふるさと納税を行なった翌年度の住民税の減額というかたちで控除されます。

■ふるさと納税をする場合の留意点

ふるさと納税のメリットは、寄附した金額とほぼ同額の所得税と住民税が軽減される点です。

ただし控除の限度額がありますから、ご注意ください。多額のふるさと納税をしても税制上のメリットは限られます。

ふるさと納税をしたお礼としてもらう特産品などは、所得税法上、一時所得に該当します。一時所得には50万円の控除がありますが、多額のふるさと納税をして高額のお礼をもらうようだと、一時所得としての課税が発生する可能性があります。

Point

ふるさと納税に関するサイトを活用しましょう。
家族のクレジットカードで支払った場合は家族の控除となります。
寄附証明書をなくさないようにしましょう。

第3章

人件費で上手にできる節税策

院長先生の家族への報酬・給与や
スタッフの採用・処遇に関連する節税策と
社会保険の活用法がわかります。

41 家族への給与

家族に給与を支払って、所得を分散させる

節税効果 ☺☺☺☺☺
節税難易度 ☹☹☹☹☹

共に仕事をする家族に給与を支払うのは、節税の王道です。所得税は所得が増えるにつれて税率が高くなる「累進課税」の仕組みがとられていますから、家計収入でとらえれば、1人に所得を偏らせるよりも、複数人に所得を分散したほうが税率が下がり、その税率の差が節税になるからです。

【例】配偶者に給与を支払う

①Aさんだけが給与を受け取る場合

Aさんの給与　2,000万円　所得控除　100万円

⇒　所得税397万円、住民税167万円

Aさんが支払う税金は564万円です。

②Aさんの配偶者Bさんにも給与を支払う場合

Aさんの給与　1500万円　所得控除　100万円

⇒　所得税232万円、住民税117万円

Bさんの給与　500万円　所得控除　50万円

⇒　所得税　19万円、住民税 29万円

AさんBさん2人が支払う税金は合計397万円です。

AさんとBさんが生計を一にしているなら、家計の手取りは①と②で、年間167万円（＝564万円－397万円）変わることになります。これが20年続くとしたら3,340万円の違いになるのです！

所得を分散させることが節税になることはご理解いただけたかと

思います。

では具体的にはどのように家族に給与を支払えばいいのか、です。

■個人事業者の場合

個人事業者の場合は、家族にどれだけ仕事を手伝ってもらったとしても、家族に支払った給与がすべて認められるわけではありません。経費とされるには次の条件があります。

①青色申告であること
②青色専従者給与として事前に所定の給与額の届出をしていること

※白色申告の場合は、家族に実際に支払った給与にかかわらず、つぎの白色専従者控除となります。

①配偶者　86万円、配偶者以外　50万円
②事業所得の合計額÷（専従者の数＋1）
③①と②いずれか低い方の金額

■家族への給与額の決め方

では、実際に働いている家族に出す給与額はどのように決めたらよいのでしょう。

基本的な考え方は、他人を雇って同じ仕事をしてもらったときに支払う給与と同水準ということになります。

しかし、家族にはそれよりたくさんの給与を出したいというのが本音ではないでしょうか。

そこで考え方の整理ですが、たとえば、配偶者や親族は、ほかのスタッフと比べて医院のための間接的な仕事もたくさんしておられるのではないでしょうか。経理の仕事をしてもらっているが、採用

や人事のこともドクターが相談されていたり、日ごろの消耗品の買い物などもされていたり、他の医院の情報を集めてもらったり、といったようなことです。そういった親族だからこそされている細かな仕事をきちんと仕事として認識し評価することによって仕事内容に応じた給与額を出すことができます。

■医療法人の場合

医療法人の従業員として家族に給与を支払う場合は、個人事業主のように給与額の届出のようなものはありません。

また、給与額の考え方についても、個人事業主の場合と同様で、他人を雇った場合と同水準ということになります。

ただし、医療法人は法人ですので、従業員ではなく、理事などの役員という立場が考えられます。

■理事に対する報酬の考え方

理事に対する報酬は、一般スタッフの給与と同じく、まずは医院でどのような仕事をしているかということが基本になります。

しかし理事は単純労働だけではなく、経営に参画し、医院の方針を決定する立場ですので、一概に「労働＝給与額」ということにはなりません。

実際、家族である理事は、医院の意思決定のさまざまな場面でドクターと一緒に悩み、考え、ともに結論を出すということもたくさんあるかと思います。

そういう意味では、1人のスタッフとして給与を支払うより、理事として報酬を支払うほうがよりたくさんの金額を支払えることになるのです。

また、理事であれば、毎日医院に通っていなくても、非常勤として報酬を支払うこともできます。

ただし、どの立場や勤務形態であっても、同種・同規模のほかの医院の水準よりも不相当に高い報酬は認められませんので注意が必要です。

Point

所得税は累進課税のため、複数人に所得を分散させることが節税になります。
個人事業者が家族に支払った給与を経費にするには一定の要件があります。
給与の額は、他人の場合と同水準でなければ認められませんが、家族ならではの仕事を細かく評価することにより、その分の給与も支払えます。
医療法人で家族が理事の場合は、一般スタッフ以上の報酬を支払うことができます。

42 子どもに支払う給与

18歳以上なら支給してよいが、扶養控除対象ははずれる

節税効果
☺☺☺☺☺

節税難易度
☹☹☹☹☹

自分の子どもに給与を支払おうとするとき、何歳になっていたらいいの？と疑問に思われたことはありませんか。

具体的に、何歳から出してもよいとは決められていません。参考になるのは、医療法人の理事に就任する年齢制限です。

理事および監事になるには年齢制限があり、18歳以上でなければ就任できません。この年齢制限については、『医療法人設立認可申請の手引き』（大阪府大阪市保健所）の「設立の際の要件等」にも記載されていますから、機会があればご覧ください。

これはあくまでも理事になるための要件ですが、個人開業の診療所で仕事を手伝ってもらう場合も、個人だからという理由で子どもへの給料支給を認めないとは誰しも言いにくいでしょう。18歳以上であれば問題ないと理解してよいでしょう。

ただし、個人開業医の子どもに給与を支給するには、つぎの要件があります。

- その年を通じて６か月を超える期間事業に従事していること
- 青色申告で、「青色事業専従者給与に関する届出書」を納税地の所轄税務署長に提出していること

注意すべきは、専従者給与を支給すると、金額にかかわらず扶養控除の範囲からはずれてしまうことです。

医療法人の場合、大学の医学部などに通っているような子どもを

理事に就任させることについて、都道府県の認可機関はあまり望ましいとは思っていないようです。

仕事をしているのであれば、出勤簿にきっちり記録しておくなど、その事実を証明できる用意をしておきましょう。

Point

子どもの仕事の記録をきちんと残しておきましょう。
専従者給与を支給された人は、配偶者控除や扶養控除の対象からはずれます。

43 扶養の範囲

離れて暮らす親兄弟も、要件を満たせば扶養になる

節税効果 ☺☺☺☺☺
節税難易度 ☹☹☹☹☹

ここで言う「扶養」は、所得税法上のことです。所得税法では扶養をつぎのように定義しています。

■扶養の範囲

扶養親族とは、その年の12月31日の現況で、以下の4つの要件のすべてに当てはまる人です。

(1) 配偶者以外の親族(6親等内の血族および3親等内の姻族をいいます)または都道府県知事から養育を委託された児童(いわゆる里子)や市町村長から養護を委託された老人であること。
(2) 納税者と生計を一にしていること。
(3) 年間の合計所得金額が48万円以下であること。
(4) 青色申告者の事業専従者としてその年を通じて一度も給与の支払いを受けていないこと、または白色申告者の事業専従者でないこと。

それぞれ具体的に説明します。

●「生計を一にしている」の意味

「生計を一にしている」を言い換えれば、「同じ財布(収入)で生活をしている」となります。ですから、それぞれ別の収入を得て生活をしている場合には生計を一にしているとは言えません。つまり、簡単に定義できそうなのが専業主婦(夫)の配偶者や子となります。

生計を一にするというのは、同一の家屋で生活をしていなければ

ならないということではありません。一定の要件を満たせば離れて生活していても生計一に認められます。
　その要件は次のようになっています。

【所得税基本通達 2-47】
(1) 勤務、修学、療養等の都合上他の親族と日常の起居を共にしていない親族がいる場合であっても、次に掲げる場合に該当するときは、これらの親族は生計を一にするものとする。
　イ　当該他の親族と日常の起居を共にしていない親族が、勤務、修学等の余暇には当該他の親族のもとで起居を共にすることを常例としている場合
　ロ　これらの親族間において、常に生活費、学資金、療養費等の送金が行われている場合
(2) 親族が同一の家屋に起居している場合には、明らかに互いに独立した生活を営んでいると認められる場合を除き、これらの親族は生計を一にするものとする。

　上記(2)の「明らかに互いに独立」とは、家屋などの登記を分けているというだけではなく、実態的なところで判断します。
　たとえば、
　①生活空間が分離されている（二世帯住宅で玄関がそれぞれある、など）
　②地代家賃の支払いや水道光熱費の実費精算が行なわれている
　③住民票の登録で世帯が区分されている

　などがあればそれぞれ独立していると見られるようです。したがって、父母を扶養に入れる場合は細かい生活費の授受はないようにしなければなりません。気をつけましょう。

●年間合計所得48万円以下とは

(1)、(2)の要件を満たしていても、扶養しようとする親族に所得がある場合は認められません。その上限が48万円ということです。ちなみに、所得とは収入から必要経費を引いたものです。会社員の場合は必要経費ではなく、給与所得控除を引きます。たとえば給与収入が年間80万円あった場合にはつぎのようになります。

80万円 − 55万円 ＝ 25万円 ≦ 48万円

この計算式にある55万円(給与額に応じて変更あり)が給与所得控除額であり、給与収入から所得を算出するときに差し引くことができる額です。控除額を考慮すれば、48万円を超えるのは「48万円＋55万円」ですから、103万円超の給与収入がある人は扶養になれないことになります。

給与以外の所得はどう計算するのかは、本書の基本解説「税金の仕組み」を参照ください。

計算した結果が48万円以下ならば扶養にできます。収入の額ではないことを踏まえて判断しましょう。

※なお、上記は所得税法上の扶養の計算です。社会保険では、別の定義があります。

●事業専従者とは

生計を一にしている親族が個人事業を行なっていて、そこで働いて給与を得る人のことを「事業専従者」と言います。専従者は、たとえ給与所得が48万円以下でも扶養にはなれません。

そもそも所得税の考え方として、生計を一にしている扶養者に支払う給料は必要経費と認めないというものがあります。生計一とは財布が一緒ということですから、夫が財布から出して妻に支払っても、受け取った妻は同じ財布に入れるので戻ってくる、つまり出て行っていないと考えられるので必要経費には認められないのです。

しかし、扶養者が働いてくれているのに給料が払えないのではおかしなことになります。そこで、支払って必要経費と認められる方法が、事業専従者にすることなのです。

事業専従者を簡単に言えば、生計を一にしていないので支払った給料を経費と認めてくださいと事業主が申請した人のことです。給料は経費として認められます。その代わりに、生計一が認められなくなり、扶養ではいられなくなるのです。

扶養になるには、136ページの「扶養の範囲」の条件をすべて満たさなければなりません。しかし、裏を返せば条件を満たせば誰でも扶養にすることができるのです。離れて住む父母や祖父母も、収入要件や生計一の要件を満たせば可能となりますから、検討してみましょう。

扶養の所得控除は、下表のとおりになります。

扶養控除一覧表

	控除額
15歳までの年少扶養控除親族	廃止
16歳から18歳までの一般の控除対象扶養親族	38万円
19歳から22歳までの特定扶養親族	63万円
23歳から69歳までの一般の控除対象扶養親族	38万円
70歳からの老人扶養控除	48万円（同居58万円）

Point

扶養の要件を知って控除を利用しましょう。

44 時間外労働削減

「1か月単位の変形労働時間制」導入で時間外労働を削減する

節税効果 ☺☺☺☺☺
節税難易度 ☹☹☹☹☹

スタッフの時間外労働について、割増賃金を抑える方法です。

そもそも病医院は、スタッフにどれくらい働いてもらうことができるか、ご存じでしょうか。
労働基準法は1週間当たり40時間まで、1日当たり8時間まで（いずれも休憩時間は除く）と定めています。これを法定労働時間といいます。

なお、スタッフが10名未満の病医院においては、1週間当たりの労働時間について特例があり、1週間当たり44時間まで時間外割増の対象とせずに働いてもらうことができます（以下同様）。

■労使協定（サブロク協定）を締結しておく

では、急患対応で診察時間が延びるなど、上限を超えそうな場合はどうすればよいのかといえば……スタッフ全員の過半数を代表するスタッフと、書面による協定（以下、「労使協定」）を締結し、これを労働基準監督署に届け出ておけば、1週間当たり40時間、1日当たり8時間を超えて働いてもらうことができます。

この労使協定は「サブロク協定」と呼ばれるものです。時間外労働の発生が見込まれる事業所においては、毎年一定時期に労使協定を締結し、労働基準監督署に届け出ることになります。ただし「サブロク協定」を締結していても、それぞれの上限を超えた時間については25％の割増賃金を支払う必要があります。

■「1か月単位の変形労働時間制」とは

それでは病医院の労働時間について、具体的に見てみましょう。つぎのA医院とB医院のケースを考えてみます。なお、本ケースにおいては便宜上診療時間と労働時間は等しいものとします。

A医院

曜日	月	火	水	木	金	土	日
午前診療	9:00～12:30	9:00～12:30	／	9:00～12:30	9:00～12:30	9:00～12:30	／
午後診療	15:00～19:00	15:00～19:00	／	15:00～19:00	15:00～19:00	／	／

B医院

曜日	月	火	水	木	金	土	日
午前診療	9:00～13:00	9:00～13:00	／	9:00～13:00	9:00～13:00	9:00～13:00	／
午後診療	15:00～20:00	15:00～20:00	／	15:00～20:00	15:00～20:00	／	／

A医院の1日当たりの所定労働時間は7時間30分（3時間30分＋4時間）となり、1日当たりの法定労働時間を下回りますので、割増賃金を支払う必要はありません。

一方、B医院の1日当たりの所定労働時間は9時間（4時間＋5時間）となり、1日当たりの法定労働時間を上回る1時間について割増賃金を支払う必要があります。

ここで、1か月以内の一定期間を平均した場合に、1週間当たりの労働時間が法定労働時間以内であるとします。その場合、労使協定または就業規則等に所定の定めを規定し、労働基準監督署へ届け出ることで、特定の日または週に法定労働時間を超えて働いてもらうことができるようになりますし、割増賃金の支払いが原則として不要となります。

この制度を「1か月単位の変形労働時間制」といいます。

■割増賃金の抑制に効果

「1か月単位の変形労働時間制」の労使協定には、つぎの事項を定める必要があります。

①対象労働者の範囲

労働者の範囲に制限はありません。

②対象期間および起算日

1か月以内の範囲で定める必要があります。

③労働日および労働日ごとの労働時間

シフト表等であらかじめ具体的に定めておく必要があります。

④労使協定の有効期間

制度の適切な運用のためには3年以内程度とすることが望ましいです。

B医院においては、臨時の残業が発生しなくても、月曜・火曜・木曜・金曜には必ず法定労働時間を超える労働、すなわち時間外労働が発生しますから、割増賃金を支払う必要があります。

しかし土曜は1日の所定労働時間が4時間で、1週間でみると、労働時間は40時間（月曜・火曜・木曜・金曜9時間×4、土曜4時間）におさまっています。そのため、「1か月単位の変形労働時間制」を導入することにより、1日当たり1時間の割増賃金の支払が不要となるのです。

A医院においても、たとえば8時30分から受付を開始し、19時30分まで後片付けや清掃等に従事してもらう場合、1日当たりの所定労働時間は8時間30分となり、通常であれば8時間を超える30分について割増賃金の支払いが必要です。ただ、1週間でみると38時間（月曜・火曜・木曜・金曜8時間30分×4、土曜4時間）

となるため、「1か月単位の変形労働時間制」を導入することにより、1日当たり8時間30分働いてもらう日についても割増賃金の支払いは不要となります。

このように、1日の診療時間が8時間を超える病医院であれば、所定の届出を行なうことで割増賃金の支出を抑えることができる可能性があるのです。

なお、導入は一方的に決めるのではなく、現場で働くスタッフの意見もよく聞いたうえで検討してください。

Point

「1か月単位の変形労働時間制」を導入しても、1日当たりの上限時間を超えて勤務させた場合は、その超えた分の割増賃金の支払が必要になります。

45 最低賃金の活用

ミーティング等の人件費を通常業務とは異なる単価設定で節約する

節税効果
☺☺☺☺☺

節税難易度
☹☹☹☹☹

ミーティングを、正職員、パートタイマーの区別にかかわらず、すべてのスタッフで行なう病医院は少なくないでしょう。患者満足度を高めるため、クレーム対応や業務改善を考えるため、あるいは何らかの勉強会として開催することもあります。ミーティングは院内の風通しがよくなり、スタッフ間の連携が強化され、結果として患者満足度を高めることができる等の効果があります。

ミーティングは午前診と午後診のあいだにある休憩に行なわれることもあれば、診療終了後に行なわれることもあります。

では、ミーティングの時間と賃金について、どういう扱いをされているでしょうか。

労働時間とみなさない病医院もあるようですが、これはいわゆるサービス残業を強いていることになります。

■ミーティングは任意参加でない限り賃金を支払う

ミーティングは医療に従事している時間ではないため、賃金は不要とお考えの院長もいらっしゃるかもしれません。しかしスタッフはどう感じているでしょう。ゆっくりと過ごしたい休憩時間に半ば強制的に参加させられている、あるいは診療後に居残って参加させられていると感じていたなら、スタッフから改善提案の意見など出てくるはずもありません。

そもそも休憩とは、労働から離れることを保証されている時間を意味します。一定の制限はあるものの、自由利用できるものと法律で規定されているのです。

ミーティングは、よりよい病医院をつくり上げるための話合いの場ですから、労働時間として扱い、賃金を支払う対象として位置づけるべきです。任意参加でない限り、ミーティングに参加している時間は、労働時間として取り扱う必要があり、労働の対価として賃金の支払いが求められます。

■残業扱いでなく、異なる賃金を設定しておく

では、ミーティングに参加している時間について、どのように賃金を支払えばいいのでしょうか。一般には通常支払っている賃金と同じ額を支払うことがほとんどです。当該時間が終業後であり、始業から8時間を超えていれば、残業として法定以上の割増率を乗じた金額を支払うことになります。

そこでミーティングにかかる人件費の削減を考えてみましょう。ミーティングは診療に従事する時間ではないため、通常とは異なる業務として、別の単価を定めることができます。

病医院には、看護師や看護助手もいれば、受付事務に従事する者もいるでしょう。また、勤続1年未満の者もいれば、勤続10年以上の者もいるでしょう。ミーティングは、参加する者の職種、職位、経験等の個人スキルを要件としないならば、賃金単価を一律にすることが可能です。

たとえばミーティングを行なっている時間は、誰でも1時間あたり1,000円を支払うといった方法です。もしくは、この時間単価を法律で定められた最低賃金とすることも可能です。

ただし、通常と異なる賃金設定をする場合、賃金規程などに「ミーティングに従事している時間は、一律、1時間あたり○○○円を支払う」等と規定しておく必要があり、雇用契約書にはその旨、明示しておく必要があります。

■最低賃金とは

最低賃金について説明しましょう。

最低賃金は、働くすべての人に適用されます。最低賃金法に基づき国が賃金の最低金額を定めるもので、原則、この金額を下回ることは許されません。毎年10月頃、地方最低賃金審議会の答申を受け、都道府県別に労働局長が決定します（令和3年10月現在、大阪府は992円）。

コンビニエンスストア等で働く高校生やパートタイマーの時給が、最低賃金と同額に設定されていることがよくあります。他業種でも試用期間中の賃金は、最低賃金に基づくと規定されていることがあります。試用期間とは、本採用するか否かの判断期間ですから、最低賃金と同額にしていることがあるのです。

最低賃金は法律によって毎年見直しがなされ、都道府県ごとに異なるものの、毎年10円～20円程度アップしています。よって、最低賃金が改定された日以降、その額を下回っていれば直ちに違法となりますので、最低賃金を利用する場合は、年に一度、改定時期に注意するようにしましょう。

以上のとおり、業務によって賃金を変えることは可能であり、人件費の削減につながります。

しかし、一般に業務そのものに線引きをすることは困難であるため、賃金は「付随する業務」を含んだうえで提示することが多いのです。

ここではミーティングを通常とは異なる業務として位置づけ、かつ人件費をスリムにする方法としてご紹介しました。参考になさってください。

Point

任意参加でない限り、ミーティングは業務です。あらかじめ通常の業務とは異なると規定しておくことで、別の賃金を設定し、節約することができます。

46 社員旅行

スタッフの半数以上参加で、4泊5日以内なら全額損金に

節税効果
☺☺☺☺☺
節税難易度
☹☹☹☹☹

利益が予想以上に出た場合は、スタッフと旅行はいかがでしょう。社員旅行は、原則、給与としてスタッフが課税を受けてしまいます。けれど2つの要件を満たせば福利厚生費として扱われ、給与課税されません。

①旅行に要する期間が4泊5日（目的地が海外の場合には、目的地における滞在日数による）以内のものであること

②旅行に参加するスタッフ等の数が全スタッフの50％以上であること

上記要件に加えて、旅行費用も1人当たり10万円程度であれば給与課税にはならないでしょう。しかし、20万円、30万円といった高額な費用を病医院が負担となれば、スタッフの給与とみなされる可能性があります。

また、参加しなかったスタッフ（業務により参加できなかったスタッフを含む）に対して旅行費用相当の金銭を支給しても、給与課税の対象になります。

日頃の感謝の気持ちを示せて親睦を深めることもでき、全額損金になるのですから、まさに一石二鳥です。

Point

滞在日数と参加人数に注意して旅のプランを組みましょう。

47 福利厚生費の活用

昼食も夜食代も、条件を満たして福利厚生費に

節税効果 ☺☺☺☺☺
節税難易度 ☹☹☹☹☹

医師という職業には、夜勤、宿直、日直という特殊な勤務形態があります。勤務医時代、これらの勤務中の食事はどうされていましたか。

おそらく十分に食事が摂れない状態だったのではないでしょうか。

当時はそんな状態も当たり前だと思われていたかもしれませんが、人を雇う立場になって、スタッフに同じ考えを求めても通用しません。労働に関しては休憩時間の確保や時間外労働の制限などが法律で定められていますから、認識を改めましょう。

当たり前のことですが、人間はお腹が空くと食事をします。自分の好きなものを選び自分で買い求めて食べます。けれど、夜勤や宿直、日直となると、自由に食事を買いに行ったりすることができません。そこで、病医院が食事を支給することがあります。

夜食の差し入れが「もう少し頑張ろう」という意欲の源になることもあります。しかし、これが高額すぎる（社会通念上、一般的な額を超える）と、給与とみなされ課税対象となるケースもあるのです。

同じ経費として支払うならば、スタッフの働く意欲が向上するような使い方をするほうがいいに決まっています。そこで、食事の支給について条件を満たせば経費になるという説明をします。

通常、賞品や商品券などの現物を支給すると、税務上、賃金を支払ったものとみなされ課税されます。源泉所得税の対象になるということです。

食事についても同様です。現物支給があったものとみなされ給与

課税されるのです。
じつは社会保険上も、食事や住居などの現物支給があると、報酬（給与）の支払いがあったとして一定の金額が報酬に加算されます。

それでは、食事代が経費となり、スタッフにとって非課税となる税務上の取扱いを説明していきます。

①昼食をスタッフに支給するとき

スタッフに昼食を支給すると、経済的利益とみなされ給与等になり、源泉所得税の対象になります。ただし、その食事代の50％以上をスタッフが負担し、かつ、病医院側の負担が月額3,500円以下であれば所得税は課されません。

〔例1〕1か月の食事代 6,000円　スタッフの負担額 3,000円
病医院負担額 3,000円
→　スタッフの課税なし、3,000円は福利厚生費

〔例2〕1か月の食事代 6,000円　スタッフの負担額 2,500円
病医院負担額 3,500円
→　スタッフの課税あり、3,500円は給与として課税対象

②宿日直や残業のスタッフに夜食を支給するとき

所定労働時間（通常の勤務時間）以外に宿直や日直、残業をしたスタッフに対して、これらの勤務をするための食事を支給する場合については源泉所得税は課税されません。ただし、夜食代として現金を支払った場合は、給与所得に加えられ源泉徴収が必要になります。

〔例1〕夜食代を直接本人へ支払う
→　夜食代はスタッフの給与となり課税対象

〔例2〕夜食代を病医院が直接飲食店へ支払う
→ スタッフの課税なし

③夜勤者（深夜勤務者）に夜食代を支給するとき

深夜勤務1回につき300円以下の支給については、源泉所得税は課税されません。なお、深夜勤務とは夜10時から朝5時までを含む勤務をいいます。

上記①から③の取扱いによる金額は、いずれも消費税相当額を除いた額です。

このように病医院にとっては同じ経費として支払う場合でも、給与になるケースと福利厚生費になるケースに分かれます。スタッフにとっては、給与支給になれば所得税が課せられるだけでなく、毎月の社会保険料である健康保険（協会けんぽ）、厚生年金保険、雇用保険、これらすべての保険料アップにつながります。さらに給与課税されるということは、翌年の住民税にも響いてきます。

食事の支給が福利厚生費とみなされるよう、税務上のこれらの要件を把握し、スタッフにも、この要件についてしっかり理解してもらいましょう。

Point

給与とみなされない要件をスタッフにも理解してもらいましょう。

スタッフへの利益還元は、本人に課税されない福利厚生で

節税効果
☺☺☺☺☺

節税難易度
☹☹☹☹☹

人材活用は病医院経営において重要な課題です。

スタッフを雇い入れれば固定費の70％前後は人件費が占めるようになります。スタッフが頑張ってくれれば患者さんの満足度も上がり、ひいては病医院の発展につながりますが、逆に、まったく役に立たないスタッフだとその給与や賞与はもったいなく思えます。どちらに転ぶかはスタッフ満足に左右される部分も大きいでしょう。

スタッフ満足と処遇の問題について、ここでは退職金制度と福利厚生について考えてみましょう。

■退職金制度とは

スタッフの処遇として給与・賞与のつぎに検討すべきテーマは退職金でしょう。医療機関で退職金制度を導入しているところは、「求人の労働条件に『退職金制度あり』と書けるから」ということを理由に挙げるケースが多いように思います。それだけ、退職金制度は人材獲得に寄与するということなのでしょう。

そもそも、退職金とはいったい何なのでしょう。一般的には、

- 老後の生活保障
- 賃金の後払い
- 功労報奨

という意味合いで支給されるケースが多いようです。では、ご自身が院長を務める病医院ではいかがでしょう。このような意味合いで辞めていくスタッフに退職金を払いたいですか？

① いまや自己責任の時代です。果たして辞めていくスタッフの老

後のために勤務先が老後の資金を蓄え、支給する必要がありますか？

② 通常退職金は、懲戒解雇するスタッフには支払いません。賃金の一部を退職金として後払いするということは、「在職中に悪事を行なえば、留保している残りの賃金を支払いません」ということです。自院のスタッフのなかに将来懲戒解雇されそうな人はたくさんいますか？

③ 非常に長い期間ご自身のもとで頑張って働いてくれたスタッフには、やはり心から「ありがとう、お疲れさまでした」のことばと退職金を贈りたいですよね。では、自院のスタッフのなかにそれほど長期間にわたって勤務してくれそうな人はたくさんいますか？

①～③の質問にすべて「ノー」と答えられた方は、自院に退職金制度が本当に必要かどうか考えられたほうがいいでしょう。

もちろん、「リクルートに寄与する」という理由だけで退職金制度を導入することは間違いではありません。また、在職中に何らかのトラブルを起こしたスタッフが退職する際には、退職金は「手切れ金」として機能することがありますので、「勤続期間が短い」＝「退職金不要」とも言い切れません。

しかし、一度退職金制度を導入すると、それをなくしたり減額したりすることは基本的にはできませんので、何のための制度なのか事前にしっかりと考えを整理したうえで導入されることをおすすめします。

■福利厚生のありかた

さて、そこで福利厚生の話です。職員満足向上のために、病医院の利益をスタッフに還元しようというのはとても健全な考え方だと思います。けれど、給与等は基準に沿って適正に上げていくことが大切なのです。無秩序な上乗せをひとたび行なってしまうと、その後従来の水準に戻そうとするときに不満を感じるスタッフが出てきてしまいます。つまり、スタッフに喜んでもらおうと思ってしたことが、長い目で見るとかえって不満の種になってしまう、ということです。

それでは、どのように利益をスタッフに還元したらよいのでしょう。その選択肢の1つが福利厚生です。

福利厚生はスタッフ個人の課税対象になりませんので、たとえば1人60,000円の社員旅行に出かければ、スタッフは60,000円満額分の利益を受けられることになります。それに対し、月5,000円昇給させると年間昇給額は60,000円となり、一見社員旅行と同額のように見えます。けれど給与は課税されますので、その分目減りしてしまうのです。所得税と住民税の合算税率が最低の15%であったとすると9,000円手取りが減少します。また、給与は雇用保険や社会保険の加入者であれば、当然保険料も負担しなければいけませんし、病医院負担分も発生してきます。

「行きたくない社員旅行に行くぐらいなら、税金や保険料負担が伴っても給与でもらうほうがいい」というスタッフも当然いるでしょう。けれど安易な昇給等のデメリットに目をつむったり、スタッフへの還元をやめたりするのではなく、「どうしたらスタッフが行きたくなる社員旅行にできるのか」ということを前向きに検討されることが、スタッフ満足の向上には必要なのではないでしょうか。

Point

スタッフの処遇は、何が必要か、何が効果的かを考えて実施しましょう。

49 スタッフの処遇改善

給与水準の見直しで、増患と収益向上を図る

節税効果 ☺☺☺☺☺
節税難易度 ☹☹☹☹☹

開業すると、院長１人で病医院のすべてを切り盛りするのは困難です。家族に協力してもらうケースもありますが、たいていはスタッフを雇い入れることになります。そうすると、費用として人件費のことを考えなくてはなりません。

医療業では、平均すると固定費の70％前後を人件費が占めています。それだけの費用を投じるわけですから、万が一、役に立たない人間を雇ってしまったらどれだけもったいないことか。さらには、せっかく優秀な人材を獲得できても、ころころと入れ替わっていつも不慣れなスタッフが対応するようでは、サービスの質が安定しないので、患者さんの安心感が損なわれてしまいます。

病医院の発展と安定のためには患者さんの満足度を向上させることが必要です。それには、いかにして優秀な人材を長期的に確保するかがキーになりますから、スタッフ満足の追求が不可欠なのです。とくに多くの医療機関が人材確保難に悩んでいる昨今、スタッフ満足は重要課題のひとつです。

■スタッフのモチベーションを高めるには

では、スタッフ満足とはいったい何なのでしょうか。給与や賞与の金額を上げればスタッフのモチベーションも高まる、ということも間違いではありません。

しかしながらそれだけではなく、経営理念の浸透や仕事そのもののやりがいといったことがスタッフの勤労意欲を高める最大の要素になるのです。

経営理念については、そもそも開業する時点で、院長ご自身がどのような医療をしたいか、どのような病医院にしたいかを考え、策定されています。ところが、それをきちんとスタッフに理解させようとしている医療機関はあまりないように思います。

なぜこのような理念を掲げるに至ったのかを丁寧に説明して理解させ、院長の病医院に対する思いをスタッフと共有しましょう。そのことが病医院全体の一体感を強めて職場風土を改善し、また、将来に向かっての安心感を醸成しますので、スタッフの勤労意欲が高まるのです。

仕事そのもののやりがいは、どこにそれを感じるかは人それぞれです。常にいまより一歩進んだ仕事に挑戦することに喜びを感じる人もいれば、日々決まったことをこつこつとこなすことに満足する人もいます。ですからスタッフ1人ひとりと日ごろからよくコミュニケーションをとって本人の性格や意向を理解し、それに即したテーマを提供していくことが大切です。

■賃金は多すぎず少なすぎず

経営理念を共有し、やりがいを与えていれば給与は少なくてもいいのかというと、それも違います。給与や賞与はアメリカの臨床心理学者フレデリック・ハーズバーグが提唱した動機づけ・衛生理論のなかの衛生要因ですから、少ないとモチベーションを下げる要因になってしまうのです。

衛生要因とは、満たされないと不満を感じるけれど、満たしたからといって満足感を充足するわけではないものです。給与が少ないと不満だけれど、たくさんあげても満足するのはそのときだけ。次第に昇給や高額の賞与を伴わない仕事に興味を示さなくなります。ですから、多すぎず少なすぎず、適正な金額にすることが大切です。

■適正な賃金は？

適正な金額は、2つの視点に立って考えることができます。1つは世間相場との比較です。その金額で生活していけるのか、ということはもちろん、ほかの医療機関の同じような職歴のスタッフに比べて水準が低いようであれば、スタッフの不満材料となってしまいます。「同じことをするならお給料が多い病医院に移りたい」と考えるスタッフが続出するでしょう。ですから、近隣の同規模の医療機関と同じかやや高い程度の水準に設定するのが理想的です。

ほかの医療機関の正確な情報の入手となると容易ではありませんが、ハローワーク等の求人情報を閲覧すれば給与についてはある程度参考になる情報が手に入ります。現在はわざわざハローワークに出向かなくてもインターネットで検索できますから、「職業分類」を「医師」や「看護師」などにしてご覧になってみてください。もしもご自身の病医院の給与水準が低いようであれば、優秀な人材の獲得と囲い込みのために見直しされてはいかがでしょうか。

■職場内バランスに配慮

適正な金額のもう1つの視点は、職場内でのバランスです。院長のさじ加減だけで昇給や賞与の額を決定するやり方だと、根拠が不明確なだけにスタッフの納得を得られず、退職の原因になってしまうことがあります。

院長は「A子さんは頑張っているから、時給を50円も上げておいた」と思っていても、A子さんは「50円しか上がっていない」と不満に思っているかもしれません。そうならないように、あらかじめ基準を決めておき、時給50円の差が大きいのか小さいのかといった価値観をスタッフと共有しておきましょう。たとえば、「非常によく頑張った人は50円、まあまあ頑張った人は30円、そうでもなかった人は10円」と昇給額を知らせておけば、A子さんは自分の昇給額が50円なのを知って高く評価されていることがわかり、うれしく受けとめるでしょう。さらに、A子さんを「非常によく頑張った」と評価したのはこのような仕事をしていたからだ、ということをきちんと説明することで、何をどうすれば給与や賞与が増えるのかが明確になって納得度が高まるうえに、動機づけにも役立ちます。これが評価制度です。

給与・賞与に関しては、多すぎず少なすぎず適正な金額にし、そのうえで経営がうまくいって余裕があるようなら、退職金制度や福利厚生の充実を図ることでスタッフ満足を向上させましょう。

こうした給与をはじめとするスタッフの処遇を、効果が高まるように配慮し改善していくことも、直接の節税とは結びつきませんが、上手なおカネの使い方です。

労務管理の重要性を認識しないまま開業したケースでは、スタッフの定着率が低く、それがために求人広告などの採用コストが増加したり、スタッフの入れ替わりが頻繁なことからサービスが十分でなく増患を妨げたりという問題がたくさん見られます。

処遇を適正に改善していくことは、人件費が多少増えたとしても、それ以上の効果が期待できるものだとご理解ください。

Point

スタッフの処遇改善は、長い目で見れば経費削減や収益増加につながります。

50 スタッフへの教育投資

スタッフ教育におカネを使い、病医院のレベルアップと節税

節税効果 ☺○○○○
節税難易度 ☹☹○○○

病医院を開業・運営するうえでは、いろいろな投資が必要になってきます。

まず頭に浮かぶのは、医療器具などの購入や修繕のための設備投資です。

2つ目は、増患・増収のための投資です。

病医院を開業してすぐに患者さんがたくさんこられるわけではありません。増患のために広告などを打たなければならないでしょう。そして病医院として一定の収益を上げられるようになれば、さらなる増収のためのマーケティングなどが必要になるでしょう。広告宣伝などは、増患・増収への投資になります。

3つ目は、院長が必要性に気づいていながらあまり行なわれていない、とても重要な投資です。それが「人材への投資」です。

病医院は、院長1人だけでは円滑に運営することができません。看護師の処置や受付の事務管理スタッフなどのサポートがあってこそ円滑に回ります。

「人材」は「人財」と言い換えられることがあります。雇っているスタッフは、病医院にとって財産であるということです。財産であるスタッフが、病医院の顔となり、病医院の収益向上に貢献してくれるのです。

では、院長はどういった投資を人材について行なえばよいのでしょうか。

■採用時の投資

１つ目は、採用時の投資です。性格も技能もわからない人を面接だけで判断するのは非常にむずかしいことです。「看護師としてのキャリアがあるから」と採用してみると、仕事をしないでサボってばかりだったり、「受付事務経験があるから」と採用したら、患者さんとのトラブルが多い対応ぶりだったりと、頭をかかえることがあります。

採用してからでなければわからない性格や技能もあるかもしれません。しかし、雇いたい人材像が院長の頭のなかに描かれていれば、それに適う人材の採用に大幅に接近できます。あわせて病医院のスタッフに求められる性格や能力を整理しておくことも大切です。

雇いたい人材かどうかを見極める方法としては、能力テストを使用する、人材採用を専門とするコーディネーターを加える、などがあります。数分の面接だけ、ましてや面接経験のほとんどない院長による面接だけでは、望ましい結果にならない可能性も高いです。能力テストによって病医院の人材として必要な能力を数値化して確認し、採用コーディネーターに面接に加わってもらうことで客観的な人材の分析と適切なアドバイスを得る、といった採用への投資を選択肢に入れておくとよいでしょう。

採用のプロである人材コーディネーターとの契約には相応の費用がかかります。契約の形態はさまざまですが、１人の面接に対して30分につき5000円～1万円くらい、あるいは月額契約であれば2万円程度の報酬を求められます。採用が決定することでの成功報酬が必要になるケースもあります。能力テストは比較的低価格で導入できます。

■研修への投資

２つ目は、研修への投資です。日々の業務に専念しているスタッフに、能力を磨き技術の向上につながる勉強をしてもらい、スキルアップを後押しするのです。これは病医院の運営強化につながります。

受付のスタッフは、患者さんへの応対で接遇力が問われますから、接遇研修に参加させる。看護師は、医療の知識を向上させるための研修に参加させる。先生の補佐役として病医院の管理を担うようなスタッフが出てくれば、管理職研修を受けさせる。ほかにも医院に必要な技術やスタッフの能力を伸ばすための研修はたくさんあります。

スタッフを積極的に研修に参加させることにより医院のレベルアップが図れます。

研修費は、経費として取り扱うことができます。

研修に参加させるのがむずかしければ、院内研修を行なうのもよいでしょう。院内の問題点が見つかり改善につながる効果も期待できます。

院内研修に必要な書籍などを病医院で購入した費用は経費にすることもできます。

【研修例】

研修内容	研修形態	費用
接遇研修	外部研修	受講料　1日　1人1万円から
医療安全研修	内部研修（講師依頼）	講師料　4時間20万円から

※研修は、研修時間・研修の内容によって費用金額に差があります。

人材への投資は、惜しんではならないものです。繰り返しになりますが、病医院の運営は院長だけでは成り立ちません。患者さんへの応対、迅速で正確な看護師の動きなど、すべてがスムーズに行なわれることで患者さんから喜ばれる病医院になります。積極的に人材への投資を行ない、すばらしい病医院づくりを目指しましょう。

Point

人材への投資は惜しまないようにしましょう。

51 従業員給与の所得税や社会保険料

同じ金額を支払っても、名目によって手取り金額が異なる

節税効果

節税難易度

独立して開業すると、もはや一国一城の主です。経営者としてあらゆる問題の矢面に立ち、守るべきものをたくさんかかえる立場になります。自身や家族はもちろんのこと、立ち上げた病医院のすべてを我が子のように守らなければなりません。

病医院で働いてくれるスタッフについても、法的に保護しなければならない責務を負います。

■賃金を支払う行為について

「スタッフに対して労働の対価として賃金を支払う」……これは労働契約の基本で、労働基準法の基本にもなります。

賃金つまり給料を支払うには、開業と同時に税務署に給与支払いの開設届を提出する必要があります。国民の義務である納税を行なうためです。

給料を支払うと、その給料に対して課される税金を給料から控除し、給料を支払った者がその税額を本人に代わって国に納めなければなりません。自分ではない人の税金ですが、いったん預かったものを期日までに納付しなければ、納税義務者たる先生に対して、納税違反として追徴金の請求がなされます。

給料を支払う行為には、このほかに社会保険料の加入（適用）も義務づけられています。

■賞与、退職金の税金算出方法は異なる

給与を支払うと税金が発生します。勤務医時代、振り込まれる給与からは、すでに税金が天引きされていたでしょう。そして、天引きされた税金は、病院サイドが納めるという仕組みでした。

これからは給与を支払うたびにスタッフの所得税を計算して、先生自身が忘れず納めることになります。この給与から控除する税金を、源泉所得税といいます。

病院からもらう賃金には、給与のほかに、賞与、そして退職時には退職金もあることが多いです。

賞与と退職金は税金の算出方法が異なります。そのため支給額は仮にいずれも50万円と同じであったとしても、下の例のように税額は異なります。結果として手取り額も異なってきます。

【例】Aさん　35歳　勤続5年
年収600万円　大阪府医師国保准組合員　厚生年金加入
扶養親族なし

賞　与　50万円の所得税額（概算）	73,961円
退職金　50万円の所得税額	0円

令和4年1月1日現在

退職金は、原則、ほかの所得と分離して税額を計算しますから、このケースでは税金はかからず、50万円まるまるが本人の手取り額となります。

■社会保険料への影響

年間の給与総額を増額させる場合、増額分を給与で支払うか、あるいは賞与で支払うかによって、社会保険料に差が生じます。

給与と賞与においても、支払い方によっては社会保険料に差が出ます。

社会保険は健康保険と厚生年金保険から成り立っていますが、健康保険は医師国民健康保険組合（収入に関係なく１人１か月あたりいくらと決まっています）に加入しているものとして、ここでは厚生年金保険について差を見てみましょう。

給与の厚生年金保険料は標準報酬月額から算定します。その上限は月額65万円と決まっています。月額65万円であっても70万円であっても、厚生年金保険料の金額は変わりません。

他方、賞与の厚生年金保険料は、賞与の金額に保険料率（18.30％×1/2）を乗じて計算しますから、賞与の金額が増えれば増えるほど厚生年金保険料の金額も増えます（年間150万円以上の賞与については上限があります）。○○手当として給与に加算して支払ったほうがおトクなケースが出てきます。

【例】 Bさん　35歳　給与65万円　大阪府医師国保准組合員
厚生年金加入

手当として月５万円加算の厚生年金保険料の加算前後の差額×12	0円
賞与として60万円支給の厚生年金保険料	54,900円

令和４年１月１日現在

退職する時期が決まっているスタッフに対し、何らかの手当やインセンティブを支給する場合、給与や直近の賞与で支払うよりも、退職金として支給すれば税金も社会保険料もゼロになることがあります。なぜなら、日本の退職金には功労金という性質があるため、退職金の税額は優遇されているからです。

ただし、これは経営者側（院長側）の都合で勝手にできることではありません。手当などは頑張ったその月に支給してこそスタッフのモチベーションアップにつながるものですし、賞与も据え置くことでその頑張ったことへの貢献反映が薄れてしまうという逆効果も生じかねません。

人件費に関してこのような繊細な配慮をすると、労働の対価を支払うという行為は同じでも、金額が異なってきますから受け取る側の印象が異なります。さらには病医院内の風向きや風通しがよくなるという効果をもたらし、働く環境そのものが向上していくので、工夫することが大切です。

自分以外の人間がクリニックをよくしようと思って働いてくれることがどれだけ心強いことか。ほんの小さな配慮が、大きな効果を生むのです。

Point

賃金の支払い方によって所得税や社会保険料が異なってきます。工夫してみましょう。

52 中小企業退職金共済

中退共なら全額経費で、退職金制度維持の手間も節約

節税効果
☺☺☺☺☺

節税難易度
☹☹☹☹☹

退職金制度はそのメリット・デメリットをよく理解したうえで導入するかどうかを慎重に決定すべきですが、導入することになったら、「中小企業退職金共済（中退共）」についてまず検討することをおすすめします。なぜなら、中退共には税法上の特典をはじめ、さまざまな節約効果があるからです。

■中退共の特徴

中退共とは、中小企業の要件を満たす開業医や医療法人が独立行政法人勤労者退職金共済機構（以下、「機構」）と契約し、従業員ごとに選択した掛金月額を毎月納付することで、退職者からの請求に基づいて機構から退職者に直接退職金が支払われる制度です。

主なメリットは以下のとおりです。

① 掛金が経費となる（税金の節約）

中退共の掛金は、個人開業医であれば必要経費として、医療法人であれば損金として、いずれも全額認められます。退職金の支払いに備える方法として、中退共ではなく生命保険を活用するというケースもよく見られますが、この方法では退職金制度設計の自由度が高まる、契約者貸付制度が使える、などの魅力がある一方、経費とするには一定の条件をクリアすることが必要です。つまり、中退共に比べると税法上のメリットという点では見劣りすると言えます。

② 国の助成制度がある（掛金の節約）

中退共には２種類の助成制度があります。

●新規加入助成

新しく中退共制度に加入する個人開業医や医療法人に対し、加入後４か月目から１年間、掛金月額の２分の１（従業員ごとに上限5,000円）が助成されます。

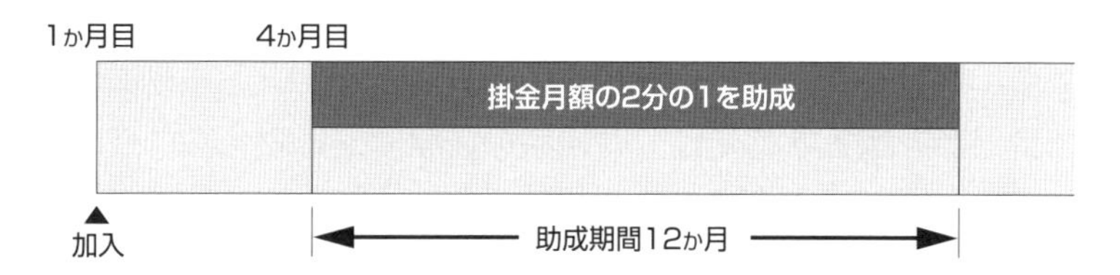

●月額変更助成

掛金月額を増額変更する場合には、一定の条件で増額する月から１年間増額分（差額）の３分の１が助成されます（掛金月額が18,000円以下の場合のみ）。

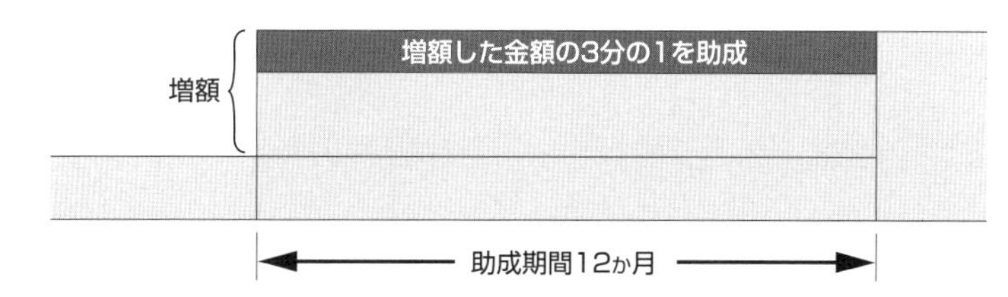

この助成は、助成期間中の掛金を減額するという形で、要件に該当したときに自動的に受けられます。また、自治体によっては国からの助成のほかに独自に補助制度を実施しているところもありますので、ぜひ事前にご確認ください。

③ 掛金の前納ができる（掛金の節約）

生命保険料のように、一定の期間分を事前に一括納付することで掛金の割引を受けることができます。

④ 複雑な管理が不要（手間隙の節約）

最近企業で多く導入されているポイント制退職金制度は、在職時の職位や資格に応じてポイントを毎年付与していき、その累積ポイントにポイント単価を乗じて退職金額を決定するというものです。在職時の貢献度に応じて退職金額が決まることから導入が進んでいますが、毎年付与されるポイントを入職から退職まで管理する手間は、想像以上に大変なものです。場合によっては専用ソフトの購入等が必要になります。それに対し、中退共はスタッフの貢献度に応じて掛金月額を選択するだけで在職時の貢献度を退職金額に反映させられるうえに、面倒な管理は必要ありません。スタッフごとの納付状況や退職金の試算額は定期的に機構からお知らせが届きますから、病医院側の管理負担はほとんどないでしょう。

⑤ 提携サービスを利用できる（費用負担の節約）

加入者は機構と提携しているレジャー施設等を割引利用できますから、掛金以外の負担なしで従業員の福利厚生にも役立ちます。

以上が、「節約」という観点からみた中退共の特徴です。

中退共による退職金制度は節税・節約の効果が高い一方、いったん機構に納付した掛金は事業主に戻ってこない、掛金納付月数が1年未満の場合は退職金は支給されない、退職事由により退職金支給額を変えられない等、事業主からみるとデメリットと取れる特徴もあります。これらの内容もよく理解したうえで加入を検討されるとよいでしょう。

なお、事業主と生計を一にする同居の親族も加入が可能です。

これにより、ご家族に対する掛金も必要経費に算入されます。また、そのご家族が将来支給を受ける分割（年金）払いの退職金については公的年金等控除が適用され、一括払いの退職金については退職手当等とみなされますので、老後の資金を蓄えながら相当な節税効果が期待できます。

Point

自治体の助成についても調べておきましょう。

パートタイマーの活用で、人件費を抑える

節税効果
☺☺☺☺☺
節税難易度
☹☹☹☹☹

独立開業された先生は、経営者としてスタッフを雇うことになります。勤務医時代には、病院が看護師や事務員を雇っていましたから、雇用を考えることはほとんどなかったでしょうが、人を雇用するとなれば、どういう条件で雇用するかを考えなければなりません。

雇用形態は、フルタイムで働く正職員と、短時間で働くパートタイマーとの2つに大きく分けることができます。

ここでは、パートタイマーで雇用することのメリットについて説明します。

■パートタイマー雇用のメリット

パートタイマーということばは、法律用語ではありません。病医院それぞれで定義を自由に定めることができますが、正職員よりも労働時間が短い従業員という理解でよいでしょう。

パートタイマーとして雇用するメリットは、主に次の2点です。

1．人件費を縮小することができる
2．社会保険料等がかからない場合がある

もっと詳しく見ていきます。

①人件費の縮小

正職員は、病医院の所定労働時間をフルタイムで勤務することになります。法定労働時間（1日8時間、週40時間）を超えた勤務については、割増賃金が発生します。

パートタイマーとして雇用し、勤務時間を短くすれば、多少の残

業があったとしても法定労働時間を超えませんので、割増賃金の発生を抑えることが可能になります。また、病医院の繁忙な時間帯にパートタイマーを活用すれば、待機時間の無駄をなくすことができ、人件費支出も抑えることができます。

ただし、パートタイマーを雇用する場合は、パートタイム労働法により、正職員と比して職務内容や人材活用の仕組みが同一であれば差別的な取扱いは違法とされることになったので注意が必要です。具体的には正職員との職務内容や人材活用の違いを明確にして、就業規則や労働条件通知書を作成し、病医院規則を周知する必要があります。たとえば、正職員は患者のクレーム対応を行なうことがあるものの、パートタイマーにはそういったことをさせない等、職務内容が異なることをわかるようにしておくことで、正職員との労働条件の違いに伴うトラブルを未然に防ぐことができます。

②社会保険料等の仕組み

雇用したスタッフが一定要件を満たす場合は、病医院には労働保険と社会保険の加入義務が生まれます。労働保険とは労働者災害補償保険と雇用保険であり、社会保険は健康保険（医師国民健康保険でも可）と厚生年金保険です。

●労働保険の仕組み

労働者災害補償保険はパートタイマーであってもすべてのスタッフに適用されます。

雇用保険については加入に一定の条件があり、その適用条件はつぎのようになります（原則）。

① 1週間の所定労働時間が20時間以上であること

② 31日以上引き続き雇用されることが見込まれること

適用条件を満たさなければ雇用保険の被保険者にはならないの

で、1週間の所定労働時間が20時間未満のパートタイマーを採用すればよいということになります。1日4時間、週4日勤務であれば、1週間の労働は16時間になりますから、雇用保険の被保険者とはならないのです。

●社会保険の仕組み

社会保険は雇用保険よりも保険料率が高く、つぎのような適用条件があります。

1日の所定労働時間と、1か月の所定労働日数が、それぞれその職場で一般的な正社員のおおむね4分の3以上であること

正職員の1日の所定労働時間が8時間で、1か月の所定労働日数が20日の場合、パートタイマーは1日の所定労働時間が6時間未満で1か月の所定労働日数が15日未満とすれば社会保険の被保険者の対象からはずれます。

パートタイマーを活用すれば、病医院が支払う保険料を軽減することができ、大きなメリットが得られます。病医院では、午前診療と午後診療とで就業時間を分けた勤務体系をとる傾向があるため、午前と午後で別のスタッフを採用し、スタッフ1人ひとりの労働時間を減らす。これもひとつの採用戦略なのです。

働き方が多様化しています。正職員だけでなく、パートタイマーを活用し、適時に人員を揃えて業務を円滑にする工夫をしましょう。

Point

勤務時間を短くすれば多少の残業があっても法定労働時間を越えないので、割増賃金の発生を抑えることができます。

54 ドクターを雇用するとき

ドクターの「経費精算」枠を設け病医院が経費負担する

節税効果
☺☺☺☺☺

節税難易度
☹☹☹☹☹

診療規模拡大等のために常勤ドクターを雇用することがあります。そのドクターが支払った経費は、どのように扱われているでしょうか。業務で使う携帯電話代などです。

「経費精算制度」を設け、病医院側で負担するようにすれば、雇用ドクター個人の節税と、病医院の出費減につながります。もちろん雇用ドクターの個人的な経費を病院・診療所で負担しても経費にはなりませんから、病医院の必要経費であることが前提です。

とくに理事や副院長としてドクターを雇用する場合、そのドクターは外部との交流が多く、また一定の決裁権をもつでしょうから経費の支払額が増え、この方法をとる効果が高まります。

■経費の具体例

経費の具体例としては、業務に使用している携帯電話代、業務に直接関係する研修や会合への参加費・交通費、診療のために必要な専門書で院内共有できるものなどが挙げられます。

■「経費精算制度」による節税の考え方

雇用するドクターが個人的に購入している専門書や研修会への参加費などで、病医院の経営にとって必要なものは病医院の負担とすることができます。

ドクターが個人で購入した場合は所得税・住民税が課税されたあとの給与の手取額から支出することになりますが、それらを病医院の負担とすることで、ドクターの給与設定の調整が可能となります。

たとえば、1,200万円の給与を希望するドクターについて、給与1,150万円と経費採算制度50万円にすれば、給与に課税される所得税・住民税が減り、病医院としては同額の支出額でドクターの税負担を減らすことができます。

■給与で支給する場合と経費精算制度を設けた場合の比較

【給与で支給する場合】

上記の例で、1,200万円の給与を支給すると、所得税と住民税で258万円の税額が天引きされ、手取額は942万円です。経費精算制度がない場合は、この手取額からドクターが個人的に50万円の負担をすることになります。

収入金額	給与 1,200 万円
税金	△ 258 万円
税引後手取り額	942 万円
経費支出	△ 50 万円
差引手取り額	892 万円

【経費精算制度を設けた場合】

一方、50万円の経費精算制度を設けた場合、給与として支給する金額は1,150万円になります。所得税と住民税で236万円が天引きされますので、手取額は914万円です。経費精算制度の50万円を合わせると、実質の手取額は964となり、ここから経費精算制度を使って50万円を支出することになります。

収入金額	給与 1,150 万円＋経費精算制度 50 万円
税金	△ 236 万円
税引後手取り額	964 万円
経費支出	△ 50 万円
差引手取り額	914 万円

Point

「給与支給」よりも「経費精算」が有効です。
精算できる経費にドクターの個人的な支
出は含まれません。

55 スタッフ採用

基準を明確にしたうえで採用しスタッフの定着を高める

節税効果 ☺☺☺☺☺
節税難易度 ☹☹☹☹☹

スタッフの少ない病医院では、採用や定着の問題に直面することが多々あることでしょう。

スタッフの採用には時間も費用も要します。指導者の労力も含めて考えれば大変なコストになります。すぐに辞めてしまったら、すべてが無駄になってしまううえ、ほかのスタッフの士気を低下させかねません。望ましいスタッフを採用し定着をよくすることも、経費削減につながるのです。

ここでは、スタッフが定着しやすくなる方法を考えていきます。

■採用の基準を明確にする

せっかく採用したスタッフが短期間で退職してしまう理由には、職務内容と本人の適正の不一致、職場でのストレスからくるメンタルの問題などが考えられます。

スタッフの採用にあたっては、まず病医院にふさわしい、採用したい人物像を明確にしておく必要があります。

能力、性格、経験、労働条件などの各項目であらかじめ整理をし、応募者がどれくらい必要な条件を満たしているかを判断します。絶対に必要とする条件を満たせていない場合は、採用を見送ることを検討します。

こうすることで、採用時のミスを防ぐことにつながります。

(例) 受付・診療助手 (パートタイマー) の採用基準

		絶対必要条件	あれば、なおよい
能力	資格	—	医療事務資格
	PC	基本的なエクセル・ワード	—
	適正	対応マナーなどのコミュニケーション能力が備わっている	数字を照合したり細かい計算が苦手ではない
	マネジメント	—	部下への指導や教育の経験がある
性格	協調性	周囲と仲良くできる	積極的に打ち解ける
	仕事の姿勢	そうじやお茶くみ等も嫌がらない	勉強熱心で前向き
	性格	気配りができる	はきはき話せる
経験	同業の経験	1年以上	3年以上
労働条件	期間	2年以上働ける	長期間働ける
	時間・曜日	週3日以上の出勤が可能	土曜日の出勤が可能
本人	住所	45分以内の通勤圏	

■採用時に「適性検査」を取り入れる

条件を満たしていたとしても、履歴書や経歴書、わずかな面接時間で適正を見極めるのは容易ではありません。そこで最近は採用の補助ツールとして「適性検査」を取り入れる病医院が増えています。

面接だけではわからない応募者の職務適性や能力発揮度合い、ストレス耐性や成長可能性などを予測することができ、採用のミスマッチが防げます。費用は1人数千円で、インターネットから申込みができるものがほとんどですから、書類選考と面接だけでは不十分と思われる場合は、適性検査を検討されてみてはいかがでしょうか。

■「雇用契約書」を作成する

「雇用契約書」は病医院とスタッフが互いに労働条件を確認し、記名・捺印するものです。その意味では労働条件を一方的に通知する「労働 (雇用) 条件通知書」とは異なります。

口頭での約束でお互いの認識が違えばたちまちトラブルに発展し、短期間で辞めてしまうといったことにもなりかねません。入職時には、互いに書面で認識を合わせておくことが肝心です。

雇用契約書に盛り込まなければならない内容については、労働基準法で次表のとおり定められています。

雇用契約に盛り込むべき事項

書面で必ず明示しなければならない事項	口頭の明示でもよい事項
1. 労働契約の期間に関する事項（期間の定めがある場合は、更新の有無、更新基準についての明示が必要） 2. 就業の場所、従事する業務の内容 3. 始業・終業の時刻、所定労働時間を超える労働（早出、残業など）の有無、休憩時間、休日、休暇、交替制勤務をさせる場合は就業時転換に関する事項 4. 賃金の決定、計算・支払いの方法および賃金の締切り・支払いの時期に関する事項 5. 退職に関する事項（解雇の事由を含む）	1. 昇給に関する事項 2. 退職手当の定めが適用される労働者の範囲、退職手当の決定、計算・支払いの方法および支払いの時期に関する事項 3. 臨時に支払われる賃金、賞与などに関する事項 4. 労働者に負担させる食費、作業用品その他に関する事項 5. 安全衛生に関する事項 6. 職業訓練に関する事項 7. 災害補償、業務外の傷病扶助に関する事項 8. 表彰、制裁に関する事項 9. 休職に関する事項

※パート・アルバイトスタッフについては、上記に加え、昇給の有無、退職手当の有無、相談窓口について、文書の交付等により明示しなければなりません。

入社後に試用期間を設ける場合には、その期間や試用期間中の労働条件についても内容を明記しておきます。

雇用契約書のひな形は厚生労働省のホームページからダウンロードすることができます。

■就業規則が病医院とスタッフを守る！

採用したスタッフに、病医院内のルールをきっちり守ってもらう工夫も必要です。

スタッフ全員がルールをきっちり守れるということは、モチベーションや病医院への貢献度も高く、結果的にスタッフの定着にもつながると言えます。

そこで効果をもつのが就業規則です。雇用契約書には盛り込めないスタッフ共通のルールを定め、守らなかった場合の制裁を正当に定めておくことができます。

たとえば次のような事項を定めておくと、問題が起こる前に対処することができます。

- 遅刻・欠勤の際のルール：届出書を提出させたうえでその時間分の賃金控除、診断書の提出等
- 時間外や休日に労働させる場合のルール：時間外・休日労働の有無、残業許可制や振替休日について
- 有給休暇を取得する際のルール：申請の時期、時季変更権について、無断欠勤の事後の振替の可否等
- 休職についてのルール：休職期間や通算の定め、休職期間満了後の扱い等
- 退職についてのルール：退職の申し出の時期、引継ぎの義務等
- 懲戒処分や懲戒解雇の事由：記載のない事由について懲戒処分は不可

本来、スタッフ数が10人未満の個人診療所では就業規則の作成・届出の義務はありません。しかし、仕事をするうえでの細かいルールすべてを雇用契約書で説明することはむずかしく、さまざまな問題が日常的に生じがちですから、たとえ10人未満であっても就業規則を作成することをおすすめします。

Point

採用の取消しや解雇は簡単にできることではありません。採用時点で欲しい人物像を明確にし、できるだけ採用時のミスを防げるようにしておくことが肝心です。

56 通勤手当

実費全額を支給する義務はない。支給有無や上限は病医院が決められる

節税効果 ☺☹☹☹☹
節税難易度 ☹☹☹☹☹

多くの病医院ではスタッフに対し、「通勤手当」を支給しておられるでしょう。スタッフのほうも、当然に受けられる権利であって、必ず支給されるものと思っている方が多いようです。しかし、支給について法律上の義務はないのです。

■通勤手当とは

通勤にはたいてい公共交通機関やマイカーを使用しますから、その費用を補助する目的で支給するのが「通勤手当」です。しかし、通勤手当は最低賃金の対象からも除外されている手当であり、また労働基準法などの法律に「使用者は通勤手当を支給しなければならない」というような規定はありません。

所得税法では、役員やスタッフに通常の賃金に加算して支給する通勤手当は、一定の限度額までは非課税扱いとなることが定められており、基本給や諸手当とは異なる扱いとなりますが、これも通勤手当の支給を義務付けるものではありません。

病医院はスタッフに労働の対償として賃金を支払います。しかしながら、通勤手当は一般的にスタッフの居住地によって支給額が異なるもので、労働との直接的な関係は薄く、スタッフの個人的事情に基づいて支給される、福利厚生的な手当といえます。

ちなみに住宅手当も同様です。病医院への貢献度に関わらず、スタッフの生活に配慮して支給される手当ですから、通勤手当と同じく福利厚生的な手当といえます。そのため、これらは原則として割増賃金の基礎となる賃金から除外することが認められているのです。

このように通勤手当の支給に法律上の義務はありませんから、支給するかどうか、支給するのであればどのくらいにするか、上限額を設けるかどうかといったことは、病医院が自由に決めることができます。

具体的な支給条件は、就業規則等で定めることになります。

なお、雇用保険の保険料は、賃金を支払う都度、通勤手当を含めて計算します。

健康保険・厚生年金保険の保険料は、定時決定や随時改定等で決定される標準報酬月額に基づいて計算しますが、定時決定や随時改定等の算定の際に、通勤手当は含めなければなりません。

■通勤手当設定のポイント

正職員が電車やバスなど公共交通機関で通勤する場合は、定期代に相当する額を通勤手当として支給するのが一般的です。前述のとおり、通勤手当は健康保険・厚生年金保険の保険料の計算基礎となる標準報酬月額の算定に含まれますから、毎月1か月の定期代を支給している病医院は、6か月間定期代などに切り替えることで、健康保険・厚生年金保険の保険料を減額できることがあります。

ただし、これはスタッフにとっては労働条件の不利益変更になりますから、病医院が一方的に変更し、スタッフには通知するだけでよいなどとは考えないようにしましょう。適正な手順を踏んだうえで変更することが求められます。

マイカー通勤者には、通勤距離に応じて支給するのが一般的ですが、通勤距離に対する単価や上限額の設定など具体的な支給額の決定方法については、病医院によって異なるでしょう。

パートタイマーについては、公共交通機関を利用する場合、出勤日数が少なければ定期代に満たないことが多いため、出勤日数に応じて往復分の実費を支給するのが一般的です。

このような場合は、あらかじめ就業規則等に、たとえば「通勤手当は、定期代と出勤日数×１日当たりの通勤にかかる実費のいずれか安価なほうを支給する」といったように規定しておきます。

なお、パートタイマーの通勤手当については、正職員に対して距離や実際に要する経費に関わりなく一律の金額を通勤手当の名目で支払っている場合は、正職員との均衡を考慮しつつ、パートタイマーの職務内容、成果、意欲、能力、経験などを勘案して決定するように努める必要があるとされています（パートタイム・有期雇用労働法第10条）。

■通勤手当の規定例

通勤手当について就業規則等で定める場合の例は、以下のとおりです。

第○○条（通勤手当）

通勤手当は、使用者が合理的と認める経路に応じ、以下の各号の区分により実費を支給する。ただし、手当額は所得税法の定める非課税の範囲内とする。

①公共交通機関を利用するスタッフ

１か月の定期代と実出勤日数に応じて支払う交通費を比較し、いずれか低いほう

②マイカーで通勤することを承認したスタッフ

往復通勤キロ数×所定労働日×単価（○○○円）

２．通常の通勤経路を使用しても非課税限度額を上回る場合は、その超えた額はスタッフの負担とする。

Point

通勤手当の支給に法律上の義務はありません。

57 年次有給休暇

有給休暇の「計画的付与」導入で時間外手当も抑える

節税効果
☺☺☺☺☺

節税難易度
☹☹☹☹☹

年次有給休暇とは、スタッフの休暇のうち病医院から賃金が支払われる休暇のことです。労働基準法で定められた法定休暇です。

入職して半年間継続勤務し、その間に全労働日の8割以上出勤したスタッフには、法律で定める日数以上（正職員であれば10日以上）の年次有給休暇を付与する必要があります。その時期と使途はスタッフの自由です（時季指定権）。

病医院はスタッフの年次有給休暇の取得について、原則として拒否することはできません。例外として「事業の正常な運営を妨げる場合」には、病医院は取得を他の日に変更するよう求めることができます。時季変更権という権利です。

このように年次有給休暇の取得はスタッフの自由意思に委ねられるため、病医院としてはスタッフがいつ取得するのか、取得された場合に代わりのスタッフを滞りなく確保できるかという課題を、たえずかかえているわけです。

■年次有給休暇の計画的付与とは

病医院がスタッフの年次有給休暇を合法的に利用する方法があります。

スタッフとの間であらかじめ年次有給休暇を取得する日を話し合い、労使協定（186ページにひな形を掲載）を締結（労働基準監督署への届出は不要）することで、取得する日を確定させることができます。これを年次有給休暇の計画的付与と言います。

この年次有給休暇の計画的付与は、たとえば夏季休暇や年末年始休暇に充てることも可能です。

夏季休暇や年末年始休暇を労働日とします。すると年間労働日数が多くなり、時間外労働の割増手当の単価を低く抑えることができるというメリットも生まれます。

ただし就業規則や労働条件通知書、雇用契約書等において、夏季休暇や年末年始休暇を病医院の「特別休暇（病医院が特例として認める休暇）」として定めている場合は、計画的付与の対象日とすることはできません。そもそも年次有給休暇は、労働日に対してのみ取得が可能だからです。

そのため、夏季休暇や年末年始休暇については、あらかじめ労働日としたうえで、「当院は夏季休暇や年末年始休暇について年次有給休暇の計画的付与の対象としている」旨の説明を行ない、前もってスタッフの了承を得ておくとよいでしょう。

■最低5日はスタッフが自由意思で取得できる日を残す

また、年次有給休暇の計画的付与を導入する場合、スタッフが自由意思で取得できる日数を最低5日は残す必要があります。つまり、すべての日数を計画的付与の対象日とすることはできないのです。したがって計画的付与により取得させた残りの日数が5日を下回るスタッフには、その不足する日数について特別休暇を与える必要があります。

入職後半年が経過しておらず、年次有給休暇を付与される前のスタッフにも、同様の措置をとる必要があります。また計画的付与の対象日について、時季変更権を使用することはできません。

年次有給休暇の計画的付与についての協定のひな型

年次有給休暇の計画的付与に関する協定

□□□□医院　と　職員代表○○○○　とは、就業規則第△条に定める年次有給休暇の計画的付与に関し、以下のとおり協定する。

第1条（年次有給休暇の計画的付与）
　医院は、職員代表との協定の定めるところにより、職員の有する年次有給休暇のうち、4日分については、次の日に与えるものとする。
○月○日、○日、◇月◇日、◇日
2　職員が保有する年次有給休暇の日数から5日を差し引いた残日数が4日に満たない職員に対し、その不足する日数の限度で、医院は前項に掲げる日に特別休暇を与える。

第2条（本制度対象外の職員の範囲）
　以下の職員に対しては、この協定の対象としない。
　①長期欠勤、休職および休業中の者
　②産前産後休暇中の者
　③育児休業・介護休業中の者
　④パートタイマーおよびアルバイト
　⑤その他対象外とすることが適当と認められる者

第3条（協議事項）
　本協定に基づく年次有給休暇の計画的付与を実施するにあたり、運用上の疑義が生じた場合には、その都度医院と職員代表で対応を協議し、決定する。

令和　　年　　月　　日

□□□□医院
院長　　　　◇◇◇◇　印

□□□□医院
職員代表　　○○○○　印

平成31年4月より、スタッフに年5日の年次有給休暇を取得させることが義務化されました。対象者は、年間10日以上の年次有給休暇が付与されるパート・アルバイトを含む全スタッフです。

スタッフの年次有給休暇取得時期が、ますます重要な課題となっています。その課題に対応するには、計画的付与の導入が効果的だと思われます。

Point

年次有給休暇の有意義な活用方法について院内で話し合う機会をもたれてみてはいかがでしょうか。

58 年次有給休暇

退職スタッフの年休買取り要求に応じる義務はない

節税効果
☺☺☺☺☺

節税難易度
☹☹☹☹☹

年次有給休暇について正しく理解しておくことも、病医院の運営と経費節減に役立ちます。

■雇入れ直後の年次有給休暇の発生要件

労働基準法上の年次有給休暇（以下、「年休」）の発生要件は、つぎの2つの要件を満たすことです（労働基準法第39条1項）。

①雇入れから6か月間継続勤務していること

②全労働日の8割以上出勤していること

まず、①の「雇入れから6か月間継続勤務していること」は、スタッフが6か月間在籍していることを意味します。たとえば6か月間のうちに1か月程度の欠勤や業務上の負傷等による休業期間が含まれていたとしても、病医院とスタッフ間の雇用関係は継続しているため、「6か月継続勤務」の要件は満たすことになります。

つぎに②の「全労働日の8割以上出勤していること」の全労働日とは、就業規則や雇用契約書等に定められている所定労働日のことです。

なお、出勤率の計算にあたって、つぎの日は出勤したものとみなします。

- 業務上負傷しまたは疾病にかかり、療養のために休業した期間
- 育児・介護休業法に基づく休業期間
- 産前産後の休業期間
- 判決により解雇無効が確定した場合など、スタッフの責に帰すべき事由とはいえない不就労日

上記要件を満たした場合、正職員であれば10日の年休が発生することになります。

仮に4月1日に入職した正職員が上記の要件を満たした場合には、10月1日以降、10日の年休を取得することができます（ただし、有給休暇の請求権は2年で時効となります）。

■雇入れ6か月経過以降の年休の発生要件と付与日数

雇入れから6か月経過日以降も継続勤務した場合は、その時点（6か月経過日）から1年間継続勤務し、その1年間における全労働日の8割以上出勤すれば、新たに11日の年休が発生します。その後1年経過ごとに付与日数は増えていき、雇入れから6年6か月経過すれば、年休日数は20日になり、以降毎年20日となります（労働基準法第39条2項）。

正職員の年休付与日数

勤続勤務年数	6か月	1.5年	2.5年	3.5年	4.5年	5.5年	6.5年以上
年休日数	10日	11日	12日	14日	16日	18日	20日

（根拠条文：労働基準法第39条2項）

■パートタイマーの年休付与日数

パートタイマーについても、雇入れ後6か月間継続勤務し、全労働日の8割以上出勤した場合は、年休が発生します。しかし正職員と比べて週所定労働日数が相当程度少ないパートタイマーについては、その所定労働日数に比例した日数が付与されることになります（年休の「比例付与」と言います）。

比例付与の対象となるのは、つぎのいずれかに該当するパートタイマーです。

- 週所定労働日数が4日以下である者
- 週以外の期間によって所定労働日数が定められている場合は、

年間所定労働日数が216日以下である者

比例付与の日数

所定労働日数		勤続勤務年数						
週	1年間	6か月	1.5年	2.5年	3.5年	4.5年	5.5年	6.5年以上
4日	169～216日	7日	8日	9	10日	12日	13日	15日
3日	121～168日	5日	6日	6日	8日	9日	10日	11日
2日	73～120日	3日	4日	4日	5日	6日	6日	7日
1日	48～72日	1日	2日	2日	2日	3日	3日	3日

（根拠条文：労働基準法第39条3項、施行規則24条の3）

■年休日数の考え方

年休は、原則「暦日」単位で与えられるものです。

たとえば突発的な業務のために、終業時間後午前1時まで深夜勤務を行なった正職員から、翌朝になって体調を崩したとして年休の申請があった場合、この日はすでに日の一部（午前0時から午前1時まで）について勤務させているために暦日単位とはならず、年休を付与したことにはなりません。

この場合は年休に代わり、賃金の全額を支給する特別休暇などを付与するといった対応が考えられます。

なお、スタッフが半日単位の年休を請求した場合、病医院にはこれに応じる法的義務はありません。

■年休に対する賃金の支払い方法

年休で支払うべき賃金については、労働基準法39条6項において、つぎの3種類の支払い方法が定められています。

①労働基準法第12条に定める平均賃金

②所定労働時間勤務した場合に支払われる通常の賃金

③健康保険法第99条に定める標準報酬日額に相当する金額

どの方法をとるかは、あらかじめ就業規則等に定めておく必要があります。③の方法をとる場合には、あらかじめ労使協定を締結しておくことが必要です。

一般的には、年休を取得した日の所定労働時間分の賃金を支払えばよい、かつ計算の手間がかからない、②の方法を採用している病医院が多いようです。

しかし日によって所定労働時間が異なるパートタイマーの場合は、たとえば4時間勤務の日に取得するよりも8時間勤務の日に取得したほうが得ということになり、8時間勤務の日にばかり年休を取得するという事態になる可能性があります。

最小限の人数でシフトを組んでいる場合は、年休取得者に8時間分の賃金を支払ったうえ、その代替要員を確保しなければならず、病医院の負担は大きくなります。

①の方法をとれば、所定労働時間にかかわらず年休1日分の金額が固定されるため、8時間勤務の日に取得したほうが得ということにはなりませんが、この場合は毎月の平均賃金を算出しなければならなりませんから、病医院の事務負担は増えることになります。

どちらのメリットをとるかは、病医院の考え方次第です。

■年休の買上げについて

年休の買上げについて、行政解釈は「年次有給休暇の買上げの予約をし、これに基づいて労働基準法第39条の規定により請求し得る年次有給休暇の日数を減じないし請求された日数を与えないことは、労働基準法第39条違反である」(昭30.11.30　基収4718)としており、原則として年休の買上げを認めていません。

ただし、「労働基準法第39条に定められた有給休暇日を超える日数を労使間で協約している時は、その超過日数分については、労働基準法第39条によらず労使間で定めるところによって取り扱って差支えない」(昭23.3.31　基発513、昭23.10.15　基収3650)としていることから、法律上年休の買上げが禁止されているのは、あくまでも法定の年休日数についてのみとなります。

したがって年休の買上げが違法とならないケースとしては、つぎの3つのケースが考えられます。

①法定付与日数を超える年休
②退職により消滅する残余日数
③付与後2年を経過して時効により消滅した年休

年休は、スタッフの疲労回復、健康の維持・増進、その他スタッフの福祉向上を図ることを目的とした休暇です。

そのため、退職後についてはその請求権すら消滅します。退職したスタッフから②についての精算を要求されたとしても、病医院が買い取らなければならないという法律上の義務はありません。

Point

退職したスタッフからの年休の買い取り要求に応じる義務はありません。

59 社会保険の扶養の範囲

社会保険の扶養の範囲を理解し、家族の保険料を上手に節約

節税効果
☺☺☺☺☺
節税難易度
☹☹☹☹☹

ここでは、社会保険における扶養の範囲について説明します。家族の保険料がどうなるのかという問題です。所得税法上の扶養の範囲とは、その基準が異なります。混乱しないようご注意ください。

ここで言う「社会保険」は２つの保険を指しています。公的医療保険である「健康保険」と、公的年金である「厚生年金保険」です。

健康保険にはいくつかの種類がありますが、先生方のほとんどは下表のいずれかに加入となります。

協会けんぽ	全国健康保険協会が運営する健康保険（旧政管健保）
市町村国保	市町村が運営する国民健康保険
医師国保	都道府県医師国民健康保険組合が運営する国民健康保険

まずこれら３つの健康保険と厚生年金保険の扶養の範囲について説明し、そのうえでそれぞれの保険料がどうなるのか見ていきましょう。

■協会けんぽの扶養の範囲

協会けんぽでは、保険料を支払っている被保険者本人の保険事故のほか、一定の範囲に属するその親族（＝被扶養者）の保険事故についても保険給付が行なわれます。つまり被扶養者になれば、保険料を支払わなくてもよいのです。

被扶養者にならない親族は、市町村国保などに加入する必要があります。日本は国民皆保険、すなわち全国民が何らかの公的医療保険制度に加入しなければならない制度をとっているからです。もち

ろんその保険料を支払うことになります。
では、被扶養者となる一定の範囲に属する親族の判断基準はどのようなものか、示します。

(1) 被扶養者の基準

被扶養者と認められるのは、次の3つのいずれかに該当する人です。

①被保険者の直系尊属、配偶者(内縁関係にある者を含む)、子、孫、弟妹で(平成28年10月以降は兄姉も追加)、
主としてその被保険者に生計を維持されている者……[生計維持要件]
②被保険者の三親等内の親族で(①に該当する者を除く)、
被保険者と同一の世帯に属し、かつ、……[同一世帯要件]
主としてその被保険者に生計を維持されている者……[生計維持要件]
③被保険者の内縁関係にある配偶者の父母および子で、
被保険者と同一の世帯に属し、かつ、……[同一世帯要件]
主としてその被保険者に生計を維持されている者……[生計維持要件]

被保険者との関係で、②や③よりも①のほうが被保険者が面倒を見なければならない度合いが強いので、基準が緩やかになっています。
ここで出てきた[同一世帯要件][生計維持要件]とは、以下のとおりです。

(2)「同一の世帯に属する=同一世帯要件」とは?

被保険者と同じ家に住んでいて家計が同じ、という意味です。

(3)「主としてその被保険者に生計を維持される=生計維持要件」とは?

生計の基礎を被保険者に置いている、という意味です。

簡単に言えば、被保険者の収入によって生活しているということです。具体的にはつぎのような基準に該当する場合に「生計維持」が認定されます。

〈被保険者と同一世帯に属している場合〉

年間収入130万円未満（※）、かつ、被保険者の年間収入の2分の1未満。

ただし2分の1以上の収入があっても、被保険者の年間収入を上回らず、被保険者が世帯の生計維持の中心的な役割を果たしていると認められるときは、「生計維持」を認めても差し支えないものとされています。

〈被保険者と同一の世帯に属していない場合〉

年間収入130万円未満（※）、かつ、被保険者からの援助による収入額より少ない。

※60歳以上の方、または、障害者（障害厚生年金の受給要件に該当する程度の者）の場合は180万円未満

協会けんぽは、被扶養者の保険料が無料です。よって、家族等の収入が130万円未満で被扶養者に該当する場合は、協会けんぽがお得なように見えます。

しかし、いくら家族の保険料を節約しても、肝心の被保険者本人の保険料も含めて検討しなければ本当の節約にはなりません。

協会けんぽの保険料は被保険者の給与額によって決まり、給与額が高い場合は保険料も高くなる仕組みになっています。たとえば給与月額が50万円の場合で保険料月額は約5万円、100万円だと約10万円になります（法人負担分を含む）。

■市町村国保の扶養の範囲

市町村国保は、その名のとおり国民健康保険の１つです。協会けんぽと異なり、国民健康保険には扶養という概念がなく、加入は世帯単位でしなければなりません。市町村国保の保険料は、世帯の所得や資産、人数によって算出されます。

市町村国保の保険料にも収入額が影響します。協会けんぽと同様に収入が多ければ保険料は高くなります。

これらに対し、上限は月額７万数千円（介護分含む）ですが、多くの先生方はこの上限額が適用されるものと思われます。

■医師国保の扶養の範囲

医師国保は国民健康保険の１つですから、市町村国保のところで述べたように、扶養という概念がありません。ただし、保険料の算出方法が市町村国保とは異なります。地域により差がありますが、医師国保の保険料は組合員である医師○○○○円、組合員の家族１人につき○○○○円という具合に定額とする組合が多いです。

「組合員の家族」というのは、組合員と同居する同一世帯にある者をいいます。細かな要件は組合により異なる場合がありますから、確認が必要です。

医師国保の保険料は、前述のとおり、１人につきいくらで計算します。大阪府医師国保の場合、医師とその家族２人（配偶者、子）の月額保険料は、１人分の介護保険料を含んでも68,100円（令和４年度）となります。収入がどれだけ多くてもこの金額です。

・保険料が節約できる健康保険

以上のように、健康保険料については、家族の人数や年齢等によっても異なりますが、一般的に高所得者である先生方については、収入によって保険料が変わらない医師国保への加入によって保険料を節約できるケースが多いものと思われます。

なお、市町村国保は自治体によって保険料に差がありますから、具体的な金額を市町村役場に確認したうえで、医師国保の保険料と比較されることをおすすめします。

■厚生年金保険の扶養の範囲

厚生年金保険の被扶養者は、①20歳以上60歳未満で、②厚生年金保険等の被保険者の収入により生計を維持する配偶者、です。配偶者に限られますので、被扶養配偶者といいます。生計維持は、194ページの（3）と同様の基準で判断します。

日本は、国民皆保険とともに国民皆年金という制度をとっているため、原則として20歳から60歳までの者は、国民年金の保険料を支払わなければなりません。しかし、厚生年金保険の被扶養配偶者は、国民年金の第3号被保険者という地位におさまり、国民年金の保険料を個別に支払う必要がありません。

国民年金保険料は、月額16,590円ですから（令和4年4月1日現在）、厚生年金の被扶養配偶者となることにより、それだけの保険料を節約することができるといえます。

Point

社会保険の種類によって保険料の算出方法が異なります。
被保険者本人にかかる保険料と合わせて比較してみることです。

60 社会保険料控除（国民年金基金）の活用

国民年金基金加入で、年間最大408,000円節税できる

節税効果
☺☺☺☺☺

節税難易度

■老後の資金を蓄えながら節税できる!?

社会保険料は全額所得控除の対象になります。社会保険料のなかでも、年金に関する保険料は老後に備えるための費用と言えますから、それが所得控除の対象になるということは、「老後の資金を蓄えながら節税もできる」ことになります。加えて、年金を受け取る際には「公的年金等控除」が適用されます。節税効果が高く、しかも私的年金などに比べるとメリットが大きいのです。

「それなら銀行の定期預金にするより年金保険料を納めたい」と思うところですが、公的年金の保険料は好き勝手に金額を決められるわけではありません。

勤務医や医療法人を経営されている院長が加入する厚生年金では、保険料は月給や賞与の額に応じて決定されます。この保険料には上限があり、厚生年金の月給にかかる保険料であれば、月給635,000円以上なら保険料月額は上限の59,475円（本人負担分。令和4年1月現在）です。

■個人開業なら夫婦で国民年金基金に

個人開業の院長が加入する国民年金の保険料は厚生年金より低額で、月額16,590円（令和4年1月現在）です。ただし、国民年金に上乗せする「国民年金基金」（以下、「基金」）という制度があり、それにも加入すればその掛金も国民年金の保険料と同様に全額が社会保険料控除額となります。

基金へは国民年金の第1号被保険者が任意で加入し、現在の収入

や将来受け取りたい年金額に合わせてある程度自由に掛金を選ぶことができます。掛金の上限は月額68,000円ですので、保険料の上限が59,475円の厚生年金に加入している場合より所得控除額を大きくすることが可能です（注：ここでは毎月の掛金・保険料について国民年金と厚生年金を比較しています。実際には厚生年金は賞与にも保険料がかかります）。

たとえば課税所得金額が2,000万円のＡさんの場合、所得税と住民税の合算税率は50％ですが、月額68,000円で基金に加入したら、節税効果はじつに年間408,000円になります。さらにＡさんに専業主婦の配偶者がおり、配偶者も一緒に月額68,000円で基金に加入したら、節税効果は倍の816,000円です。

Ａさんの国民年金基金加入による節税効果

68,000円/月 × 12ヶ月 × 税率50% ＝ 408,000円/年

配偶者も同額で加入した場合の節税効果

（68,000×2）円/月 ×12ヶ月 × 税率50% ＝816,000円/年

※Ａさんが保険料を負担するのであれば配偶者の分もＡさんの所得控除の対象となる

■日本医師・従業員国民年金基金の恩恵

さて、基金には「地域型」と「職能型」があります。掛金や給付内容は同じですが、重複加入はできませんので、どちらかを選択して加入します。

「地域型」とは、全国47の都道府県に設置されている基金で、同一の都道府県に住所を有する場合に加入できます。

「職能型」とは、各基金ごとに定められた事業または業務に従事している場合に加入できるもので、医師や病院・診療所・老人保健施設に従事する方は「日本医師・従業員国民年金基金」に加入することができます。夫婦で個人診療所の運営を切り盛りしている場合

には夫婦で基金に加入し、2人合わせて月額136,000円を限度に所得控除の恩恵を受けることができます。

よく似ている制度に「日本医師会年金（医師年金）」というものがありますが、これは日本医師会が会員の福祉のために運営しているものです。厚生年金の被保険者でも加入できる、掛金の上限がない等、基金とは違うメリットがありますが、あくまでも私的年金制度ですので、社会保険料控除の対象にはなりません。

なお、国民年金の上乗せの制度には、基金のほかに「付加年金」というものがあるのですが、重複加入はできません。付加年金に加入中の方が基金に加入するには、付加年金をやめることが必要となります。

■個人型確定拠出年金も検討対象に

ところで、個人開業の院長のように国民年金の第1号被保険者であれば、基金のほかにもう1つ所得控除を増やす方法があります。それは個人型確定拠出年金（iDeCo）です。

この制度の最大の特徴は、自分で資産を運用することです。個人型確定拠出年金も基金等同様にその保険料は全額社会保険料控除の対象となり、年金受給時には公的年金等控除の適用を受けます。つまり税制のメリットで双方にそれほど差はありません。基金の利回りは1.5％（令和4年1月現在）ですので、自分で積極的に運用することでそれ以上の利回りを確保する自信がある方は、個人型確定拠出年金への加入を検討されるとよいでしょう。

ただし、特別法人税には気をつけなければいけません。個人型確定拠出年金を含む企業年金制度の年金資産にかかる特別法人税は、令和5年3月まで課税が凍結されていますが、もし凍結解除されれば年1.173％負担が増えることになります。もっとも、この凍結期間は過去何度も延期を繰り返しているうえに「廃止すべきだ」との意見もあり、今後どうなるか不透明な部分があります。けれど、念のため、基金の利回りと特別法人税率を上回る運用益を自分で上げられるかどうか、ということを加入の判断材料の1つにするほうがよさそうです。また、個人型確定拠出年金は若干の手数料がかかりますので、ご注意ください。

基金と個人型確定拠出年金は重複加入できますが、掛金の限度額は両方を合算して月額68,000円です。つまり、両方加入したからといって掛金限度額が2倍にはなりませんので、それぞれの特徴をよく理解したうえで、どちらか一方に加入するのか、あるいは両方加入するなら割合をどうするか、ご検討ください。

Point

国民年金基金や個人型確定拠出年金で、老後の資金を蓄えながら節税できます。

61 傷害保険への加入

損保を使わずに、労災の特別加入で保険料を抑制

節税効果
☺☺☺☺☺
節税難易度
☹☹☹☹☹

医療業には、日々さまざまなリスクが潜んでいます。

治療行為中のケガだけでなく、病院内で転んだり、病院と自宅間の通勤時の事故等々、院長自身に万が一のことがあった場合のことを考えたことがありますか？

「ケガなら保険に入っているから大丈夫」という声が聞こえてきそうですが、その保険だけで本当に大丈夫でしょうか？

■傷害保険

ケガに対する補償としては普通傷害保険がポピュラーで、傷害保険といえば普通傷害保険を指します。

被保険者が、日本国内または国外において、急激かつ偶然な外来の事故によって身体に傷害を被った場合に保険金が支払われる保険です。家庭内、職場内、通勤途上、旅行中など、日常生活におけるほとんどすべての事故による傷害を補償する基本的な傷害保険です。

傷害保険の保険金の種類は次のとおりです。

①死亡保険金

②後遺障害保険金

③入院保険金

④手術保険金

⑤通院保険金

■労災保険

一方、労災保険という保険をご存じでしょうか。業務災害および

通勤災害にあった労働者またはその遺族に保険給付を支給する政府管掌の保険制度で、労働者災害補償保険法という法律に基づき運営されています。つまり、「国の保険」ということができます。

傷害保険では保険金と呼ぶのに対し、労災保険では保険給付と呼びます。

その給付の種類についてみてみましょう。

①療養補償給付（療養給付）
②休業補償給付（休業給付）
③障害補償給付（障害給付）
④遺族補償給付（遺族給付）
⑤葬祭料（葬祭給付）
⑥傷病補償年金（傷病年金）
⑦介護補償給付（介護給付）

給付の数だけでも傷害保険を上回っています。

（ ）内は通勤災害に対する給付です。通勤災害の場合も業務災害と同様の種類および内容の保険給付がなされますが、通勤災害の場合は事業主に補償義務がないので「補償」という表現は用いません。

簡単にその内容をご紹介します。

① 療養補償給付・療養給付

どんなとき？→業務災害または通勤災害による傷病により療養するとき
どんな給付？→必要な療養の給付

指定医療機関の窓口でお金を支払う必要がなく、それ以外ではいったん支払い、後から償還を受けます。この療養（補償）給付だけで、入院・手術・通院をカバーしていると言えます。しかも日額や日数の上限もありません。ただし、療養給付（通勤災害）を受ける場合は、原則として200円の一部負担金が徴収されます。

② 休業補償給付・休業給付

どんなとき？→業務災害または通勤災害による傷病の療養のため労働することができず、賃金を受けられないとき

どんな給付？→休業４日目から、休業１日につき給与日額の約60％相当額

たとえば給与日額が10,000円の場合、休業1日につき6,000円が支払われます。

③ 障害補償給付・障害給付

どんなとき？→業務災害または通勤災害による傷病が治った後に障害等級第１級から第14級までに該当する障害が残ったとき

どんな給付？→（第1級から第7級）障害の程度に応じ、給与日額の313日分から131日分の年金〈障害補償年金・障害年金〉

（第8級から第14級）障害の程度に応じ、給与日額の503日分から56日分の一時金〈障害補償一時金・障害一時金〉

④ 遺族補償給付・遺族給付

どんなとき？→業務災害または通勤災害により死亡したとき

どんな給付？→遺族の数等に応じ、給与日額の245日分から153日分の年金〈遺族補償年金・遺族年金〉

（遺族（補償）年金を受け得る遺族がないときは、給与日額の1,000日分の一時金〈遺族補償一時金・遺族一時金〉）

⑤ 葬祭料・葬祭給付

どんなとき？→業務災害または通勤災害により死亡した方の葬祭を行なうとき

どんな給付？→315,000円に給与日額の30日分を加えた額または給与日額の60日分のいずれか高いほう

⑥ 傷病補償年金・傷病年金

どんなとき？→業務災害または通勤災害による傷病が療養開始後1年6か月を経過した日または同日後において傷病が治っておらず、かつ傷病による障害の程度が傷病等級に該当すること

どんな給付？→障害の程度に応じ、給与日額の313日分から245日分の年金

⑦ 介護補償給付・介護給付

どんなとき？→障害（補償）年金または傷病（補償）年金受給者のうち、第1級の者または第2級の者であって、現に介護を受けているとき

どんな給付？→原則として、介護の費用として支出した額（ただし常時介護は171,650円、随時介護は85,780円が上限額、令和3年度）

いかがでしょうか。傷害保険と比べ、補償内容が非常に充実している点はご理解いただけたでしょう。

■労災保険の保険料

そこで気になるのは、その保険料ですね。

原則として、労災保険の保険料はつぎの算出式で求められます。

労災保険の保険料（年額）＝賃金総額（給与日額×365日）×労災保険率

労災保険率は事業の種類によって決まり、最低1,000分の2.5から最高1,000分の88まで54業種について定められています（令和3年4月現在）。このうち、医療業の場合は1000分の3に該当します。

たとえば給与日額が10,000円の場合、

10,000円×365日×（3／1000）＝10,950円

この10,950円は年額ですから、1か月当たりの保険料は約913円ということになります。

また、後に述べる労働保険事務組合への会費が別途必要になります。

労災保険は、このように補償内容も充実していて、保険料も割安なので、活用しやすいです。ただし、その名のとおり、「労働者」災害補償保険の略、つまり労働者のための保険であるため、原則として役員（医療法人の理事や個人開業医の院長）は対象外です。

■労災保険の特別加入制度

ところが、役員でも労災保険に加入できる場合があります。それが労災保険の「特別加入」という制度です。

●特別加入できる条件

・中小事業主であること

・労災保険にかかる保険関係が成立していること

（つまり、従業員を1名以上雇っていること）

・労災保険にかかる労働保険事務の処理を労働保険事務組合（医師協同組合など）に委託していること

・中小事業主およびその者が行なう事業に従事する者を包括加入していること

これらの条件を満たしたうえで所定の申請手続きを行ない、政府の承認を受ければ「使用される労働者」とみなされ、業務災害や通勤災害に対して保険給付の支給を受けることができます。

ただし、保険給付に関しては部分的に通常の労働者と異なる扱い

があります。

● **業務上外の認定**

業務災害の範囲は一般的には労働者と同じですが、事業主本来の業務、つまり株主総会や役員会（理事会）への出席などは業務遂行性が認められませんので注意が必要です。

● **特別支給金**

通常の労働者の場合、先に説明した保険給付以外に、特別給与（いわゆるボーナス）を算定基礎とする特別支給金が支払われます。しかしながら特別加入の場合、この特別支給金は支払われません。

● **給与日額について**

正しくは「給付基礎日額」といいます。この計算方法は労働者と特別加入者の場合で異なります。通常の労働者の場合は、事故発生日以前3か月間の賃金総額をその期間の総日数で割った金額ですが、特別加入者の場合は次の16階級の額のなかから希望する額を考慮して決定されます。

3,500円・4,000円・5,000円・6,000円・7,000円・8,000円・9,000円・10,000円・12,000円・14,000円・16,000円・18,000円・20,000円・22,000円・24,000円・25,000円

Point

医療法人の理事や個人開業医の院長も条件を満たせば労災保険に加入できます。

62 社会保険料

社会保険料の仕組みを理解する

節税効果
☺☺☺☺☺
節税難易度
☹☹☹☹☹

社会保険（協会けんぽ・厚生年金）は、保険料を労使折半で負担すると定められています。事業主である病医院とスタッフとが２分の１ずつ保険料を負担するわけです。

社会保険料は労災保険料や雇用保険料に比べて高額であるため、事業主負担も大きくなります。ここでは社会保険料の仕組みをご紹介します。

■標準報酬月額とは

社会保険料は、被保険者の標準報酬月額に保険料率を乗じて計算します。標準報酬月額とは、報酬の月額をいくつかの等級に区分した計算のしやすい仮定的な報酬のことをいいます。

協会けんぽのホームページに掲載されている「令和４年３月分（４月納付分）からの健康保険・厚生年金保険の保険料額表（大阪府）」によると、たとえば報酬月額が250,000円以上270,000円未満の場合、すべて20等級（厚生年金は17等級）に該当し、標準報酬月額は26万円となります。つまり給与が25万円の人も、26万9000円の人も、保険料の計算は同じ26万円で行なうのです。

このように実際の給与額と標準報酬月額では若干の相違があることがポイントです。原則として１年間、26万円という標準報酬月額を保険料計算の基礎とすることにより、事務処理の簡素化が図られているのです。

■定時決定

被保険者の実際の給与額と標準報酬月額との間に大きな差が生じないように、標準報酬月額は年１回、見直しをすることになっています。事業主は、毎年7月1日現在の全被保険者の3か月間（4～6月）の給与額を算定基礎届により届出し、厚生労働大臣はこの届出内容に基づいて毎年１回、標準報酬月額を決定します。これを定時決定といいます。

具体的には４月～６月の３か月に支給された報酬の平均月額に該当する標準報酬月額に決定し直され、新たな標準報酬月額はその年の9月から翌年８月までの各月の保険料計算に適用されます。

なお、 定時決定の際に届け出る４月～６月に支払われた報酬月額は、基本給、諸手当、通勤費などの固定的賃金に加え、残業代や歩合給などの月々変動する非固定的賃金も対象となります。

たとえば４月～６月に残業が多ければ、その残業代も含めて標準報酬月額は決定されます。この時期は極力残業を避け、残業代を抑えることができれば、標準報酬月額は低い額で決定します。年度変わりの時期でもありますので、残業を抑え、効率よく業務を遂行できる体制を整えるようにするといいでしょう。

■随時改定

では、定時決定された標準報酬月額は、どんな場合でも翌年８月まで適用されるのでしょうか。被保険者の報酬が、昇（降）給等の、固定的賃金の変動に伴って大幅に変わったときは、次の定時決定を待たずに標準報酬月額を改定します。これを随時改定といいます。

具体的には、変動月からの３か月間に支給された報酬の平均月額に該当する標準報酬月額と、これまでの標準報酬月額との間に２等級以上の差が生じた場合、改定の対象となります。

なお、定時決定・随時改定以外の標準報酬月額の決定方法として、資格取得時にその被保険者の報酬月額予定額を届け出る「資格取得時決定」や、産前産後休業・育児休業終了後に復帰した際、勤務時間の減少等で報酬月額が変更になった場合の「産前産後休業終了時改定」「育児休業終了時改定」があります。

基本給など固定的賃金の昇給を年1回行なうという病医院も多いと思います。その昇給時期を4月にされているなら、前述のとおり4月～6月は算定基礎届の届出対象時期なので問題はありません。しかし、たとえば7月を昇給時期とすれば、定時決定は昇給前の報酬によってなされることになります。

つまり4月～6月の昇給については、支給額がそのまま定時決定に反映されるのに対し、7月以降の昇給なら、2等級以上の差が生じた場合、随時改定の対象になるということです。ただし、2等級以上の差が生じない場合、昇給したとしても、翌年8月までは昇給前の報酬で決定された標準報酬月額が社会保険料計算の基礎となります。

■標準報酬の幅（レンジ）について

社会保険の標準報酬月額に一定の幅があるのは前述のとおりです。報酬月額が250,000円以上270,000円未満の場合、標準報酬月額は一律26万円となり、270,000円以上290,000円未満の場合は、一律28万円となります。

そこで給与の設定を、標準報酬月額26万円の上限近くの269,000円と、標準報酬月額27万円の下限である270,000円にした場合の、社会保険料を比較してみましょう。

まず、269,000円の場合です。

協会けんぽのホームページに掲載されている「令和4年3月分（4月納付分）からの健康保険・厚生年金保険の保険料額表（大阪府）」によると、等級は20等級（厚生年金は17等級）、報酬月額は250,000円以上270,000円未満なので、標準報酬月額は26万円に該当します。よって、健康保険料13,286円＋厚生年金保険料23,790円＝37,076円（介護保険第2号被保険者に該当しない場合）となり、これが病医院とスタッフがそれぞれ毎月負担する金額となります。

一方、270,000円の場合です。

等級は21等級（厚生年金は18等級）、報酬月額は270,000円以上290,000円未満なので、標準報酬月額は28万円に該当します。よって、健康保険料14,308円＋厚生年金保険料25,620円＝39,928円（介護保険第２号被保険者に該当しない場合）となります。

支給額は269,000円と270,000円では1,000円の差しかありませんが、社会保険料は2,852円もの差が出てくることになります。場合によっては、給与を269,000円にしたほうが、270,000円にするよりもスタッフの手取りが増えるということも起こり得るのです。

このように、給与の設定を報酬月額の幅の下限にする場合と、給与額を少し下げて１つ下の等級の上限近くにする場合とで、社会保険料は異なるのです。

■退職日と社会保険料の関係について

社会保険料は「資格取得月にはかかり、資格喪失月にはかからない」というのがルールです。

ここで注目するのは資格喪失月です。資格喪失月とは「退職日の翌日（資格喪失日）の属する月」のことで、退職日＝資格喪失日ではありません。

たとえば3月30日退職の場合、資格喪失日は3月31日となり、3月分の保険料はかかりません。

一方、3月31日退職の場合、資格喪失日は4月1日となり、3月分の保険料がかかってきます。

1日の違いで1か月分の保険料が変わってくるため、可能なら退職日を末日の前日にするとよいでしょう。

ただしその場合、1日の違いでスタッフ自身が退職後に加入する保険の保険料が1か月分早くかかってくるということにもなります。のちにトラブルにならないよう、スタッフともよく相談のうえで退職日を決定するようにしましょう。

なお、社会保険料が「資格取得月にはかかり、資格喪失月にはかからない」というのは賞与についても同じです。

たとえば退職予定のスタッフに7月10日に賞与を支給する場合、7月30日退職であれば社会保険料がかからず、7月31日退職であれば社会保険料がかかります。

以上のように少しの工夫で社会保険料を抑えることができる場合があります。ここでは社会保険料を抑える観点からのみお話ししましたが、スタッフの将来的な厚生年金受給の観点から言うと、将来の年金受給額も標準報酬月額により計算がなされ、被保険者期間が1か月でも長いほうが受給額は多くなります。

逆に、社会保険料を抑えることにより、スタッフの将来の厚生年金受給額も減少します。このことも理解しておきましょう。

Point

まずは、社会保険の標準報酬月額の仕組みを理解しましょう。

63 社会保険料

産前産後休業期間中の社会保険料は免除できる！

節税効果 ☺☺☺☺☺
節税難易度 ☹☹☹☹☹

スタッフが産前産後休業期間（産前42日――多胎妊娠の場合は98日、産後56日のうち、妊娠または出産を理由として労務に従事しない期間）に入ったら、ぜひ行なっていただきたい手続きがあります。

※出産とは、妊娠85日（4か月）以後の生産（早産）、死産（流産）、人工妊娠中絶をいいます。

■社会保険料の免除

産前産後休業期間中および育児休業期間中は、社会保険（健康保険、介護保険および厚生年金保険）料の免除が受けられます。

ここでは、健康保険とは、協会けんぽをさします。医師国保には健康保険料免除制度はありません（医師国保であっても厚生年金保険料のみの免除を受けることは可能です）。

具体的には、病医院が日本年金機構に対して手続きを行なうことにより、スタッフの産前産後休業期間にかかる社会保険について、被保険者分および事業主分ともに免除されるのです。

この手続きで注意が必要なのは、スタッフが実際に産前産後休業に入っているあいだに行なわなければならないことです（年金機構が出している原則です。実務上は産休後に申請することもあります）。

免除を受けるにあたり、産前産後休業期間中における給与が、有給か無給かは問われません。

なお、産前産後休業期間中に支給される出産手当金は、支給要件の1つに「給与が支給されていないこと」があり、産前産後休業期間中の社会保険料免除の要件と異なりますので、ご注意ください。

社会保険料の納付が免除される期間は、産前産後休業開始月から終了予定日の翌日の月の前月（産前産後休業終了日が月の末日の場合は産前産後休業終了月）までです。

このように社会保険料の免除は、日割り計算をせずに月単位で行ないますので、産前産後休業を開始した日が月の途中であっても、1か月分の社会保険料が全額免除となります。

たとえば8月29日が出産予定日の場合（多胎妊娠を除く）、7月19日から10月24日までが産前産後休業期間となります。その場合、7月分、8月分、9月分の3か月分の社会保険料納付が免除されることになります。

〈免除される社会保険料額のイメージ〉

※上記例のとおり8月29日が出産予定日の場合

前提：40歳未満で月額給与30万円の女性スタッフ

⇨スタッフ負担分：健康保険料15,330円（大阪府の場合）、厚生年金保険料：27,450円

⇨病医院負担分：同上

1か月当たりの免除額は、それぞれ42,780円（＝15,330円＋27,450円）なので、あわせて85,560円です。

3か月分免除となると、スタッフ負担分も含め、じつに256,680円が免除となります。

※令和4年3月分（4月納付分）からの健康保険・厚生年金保険の保険料額表（大阪府）をもとに計算しています。

■手続きを行なううえで知っておきたいポイント

先の手続きを行なうことで社会保険料は免除されますが、産前産後期間中の社会保険の扱いおよび免除期間が将来の年金額にどう影響するのか、ここが知っておきたいポイントでしょう。

実際のところ、免除される期間中も被保険者資格に変更はなく、将来、年金額を計算する際は、社会保険料を納めた期間として扱われます。

スタッフ本人からすれば、社会保険料を納めていないにもかかわらず、将来の年金を計算する場合には納めたものとして扱われるという、とてもよい制度です。

病医院からしても、スタッフを当該期間被保険者としたまま、社会保険料負担が0円になりますので、ありがたい制度です。

また、スタッフの出産日が出産予定日どおりでなかったことに伴い、産前産後休業期間を変更したとき、または産前産後休業終了予定日の前日までに産前産後休業を終了したときは、病医院は速やかに変更に関する手続きを行なわなければなりません。

産前産後休業期間中の社会保険料免除は、スタッフだけではなく、被保険者であれば事業主である女性の先生であっても受けることができます。

なお、事業主である先生は「育児休業、介護休業等育児又は家族介護を行う労働者の福祉に関する法律」に基づく育児休業等は取得できないため、社会保険の被保険者であっても、育児休業等期間中の社会保険料免除は受けられませんので、ご注意ください。

Point

産前産後休業期間にかかる社会保険料は、被保険者分及び事業主分ともに免除されます。

免除される期間は、産前産後休業開始月から終了予定日の翌日の月の前月（産前産後休業終了日が月の末日の場合は産前産後休業終了月）までです。

免除された期間も保険料を納めたものとみなされ、将来の年金額に反映されます。

64 返済不要の助成金

数百万円もらえることも！返済不要の助成金

節税効果 ☺☺☺☺☺
節税難易度 ☹☹☹☹☹

■助成金とは

助成金とは、ごく簡単に言えば、事業所が国の政策に合った取組みを行なった場合に国からお金をもらえる制度のことです。（名称が「奨励金」となっているものもあります）。助成金は公的融資等と異なり返済も不要です。

その財源がいったいどこから出ているかというと、じつは事業所が国に支払う「雇用保険料」で賄われているのです。雇用保険料の負担率が、被保険者と比べ事業主のほうが高くなっているのは、事業主が助成等のための費用を余分に支払っているからです。国は、雇用保険が適用されるすべての事業所から費用を集め、国の政策のためにそれを分配しているのです。

■どんなときにもらえるか

では、どのようなことをすれば助成金をもらえるのでしょうか。助成金には多くの種類がありますので、それだけ多種多様の取組みに対して支給されます。

具体例として、つぎのような場合が助成金受給の対象となります。

・特定求職者雇用開発助成金：高年齢者・障害者・母子家庭の母などの就職困難者を雇い入れる場合
・トライアル雇用奨励金：安定就職を希望する未経験者を試行的に雇い入れる場合

- 人材確保等支援助成金：評価・処遇制度や研修制度等を整備する場合
- キャリアアップ助成金：有期契約労働者等の正規雇用への転換、賃金テーブル改善、教育訓練等を行なう場合
- 両立支援等助成金：育児休業代替要員を確保する場合、「育児復帰支援プラン」を策定・導入し、労働者に育児休業を取得させ、原職等に復帰させる場合
- 働き方改革推進支援助成金：労働時間等に関する職場意識の改善を図る場合
- 退職金共済制度にかかる新規加入等掛金助成：新たに中小企業退職金共済に加入する・掛金を増額する場合

これはほんの一例です。ただし、上記に該当する場合は必ず助成金を受け取ることができるというわけではありません。というと、「なんだ、もらえないのか」と思われるかもしれませんが、あきらめるのはまだ早いです。

助成金を受給するための要件は細かく、手続きの手間はかかります。しかし、よく確認すれば、現状でも要件に該当するかもしれないし、今後の医院の方針によっては、それに合わせた取組みをして受給することも考えられます。

■中小企業に手厚い助成金

助成金は、とくに中小企業に対して手厚い制度です。中小企業だけに支給されるものや大企業に比べて中小企業への支給額が高いものが多くなっています。

助成金制度における中小企業とは、おおむねつぎのような事業所を指します。

業　種	資本金		労働者数
小売業（飲食店を含む）	5,000万円以下	または	50人以下
サービス業	5,000万円以下		100人以下
卸売業	1億円以下		100人以下
その他の業種	3億円以下		300人以下

医療業はサービス業に属しますから、医療法人なら資本金5,000万円以下、または労働者数100人以下となります。個人開業医は、資本金という概念がないので労働者数のみで判断します。よって、中小企業に該当することが多いでしょう。

■助成金の具体例

助成金がいくらくらいもらえるのか、具体例を挙げてみます。

「キャリアアップ助成金（正社員化コース）」という助成金があります。これは有期契約労働者等、いわゆる非正規雇用労働者について、院内でのキャリアアップ等を推進するために、正職員化等の取組みを実施した事業主に対して支給されるものです。

ここでは、採用当初、有期契約で雇用した職員を雇用し始めた日から起算して6か月を経過した日以降に正規職員に登用する場合についてご説明します。

このケースでは、有期契約の職員を正規職員に登用し、登用後、正職員として6か月間雇用した場合、1人当たり57万円（中小企業）の助成金が支給されます。

この助成金は1事業所1年度当たり20名までを対象にすることができますので、最大で1,140万円を受給することができます。とくに開業当初は、大きな援助となるでしょう。

ただし、以下の手続きを終え、助成金が指定の口座に振り込まれるまでには、最短でも約1年3か月程度は要しますので留意してください。

●**当該助成金を受けるためのおおまかな流れ**

①キャリアアップ計画の作成・提出（管轄の都道府県労働局へ）
②就業規則等に転換制度を規定
③転換等に際し、就業規則等の転換制度に規定した試験等を実施
④正規雇用等への転換等を実施（雇用契約書等の交付）
⑤転換後6か月分の賃金を支給
⑥支給申請（管轄の都道府県労働局へ）
⑦支給決定

これはひとつの例ですが、助成金を受給するには、こうした手間と時間がかかります。

また、助成金は、期間が限定されているものや、制度内容の変更が予定されているものもありますのでご注意ください。

要件等に関する詳しい内容や具体的な申請手続きについては、社会保険労務士もしくはお近くの労働局各取扱窓口にご相談ください。

Point

国の政策に適う雇用に関する取組みをする場合にもらえます。

65 医師国民健康保険組合

国民健康保険より、医師国保のほうが節約できる！

節税効果 ☺☺☺☺☺
節税難易度 ☹☹☹☹☹

医師会に加入すれば、医師国民健康保険組合に加入できます。医師会加入によって得られるメリットの1つです。どのようなメリットがあるか見ていきましょう。

健康保険には、勤務先企業が組合としてもつ健康保険組合（○○会社健康保険組合）と組合健保をもたない企業が属する協会けんぽ（従来の政府管掌健康保険）があります。

また、一業種一組合と言って、1つの業種が健康保険の保険者となり、1つの国民健康保険組合を都道府県や特定した地域に設けることができます。たとえば大阪府医師国民健康保険がその一例です。

これとは別に、お住まいの市区町村が保険者となる健康保険が、地域保険と呼ばれる国民健康保険です。市区町村を窓口として健康保険証が発行されます。

まとめると下表になります。

	保険者	名称（例）
健康保険組合	企　業	ABC健康保険組合
協会けんぽ	全国健康保険協会	協会けんぽ大阪
国民健康保険組合	地域別の一業種	大阪府医師国民健康保険組合
国民健康保険	市区町村	堺市国民健康保険

では、それぞれの健康保険料はどうなっているのでしょう。

協会けんぽの場合、保険料は従業員の給与（標準報酬月額）に保険料率を乗じることによって決まります。保険料率は法律で上限と下限が定められていて、都道府県別にその人口構成や財政状況に応じて限度範囲内で定めることができます。毎事業年度、見直しが行なわれ（健康保険法第160条）、勤務する企業の所在地がどの都道府県に属するかによって異なってきます。保険料の負担割合は労使折半です。

健康保険組合の保険料もほぼ同様の方法で決められますが、運営主体が企業ですから協会けんぽにはない独自の給付があります。また、企業と社員との保険料負担割合も、協会けんぽが折半なのに対し、健康保険組合では企業負担のほうが高くなっており、従業員がやや優遇されています。

なお、医療機関における窓口で支払う一部負担金については、いずれも3割です（令和4年4月1日現在）。

退職後、お住まいの市区町村に国民健康保険料（税）を支払って健康保険証を手にされた先生もいらっしゃるでしょう。国民健康保険料（税）は加入する人の前々年の所得によって決められます。医師である先生方は高額所得者ですから、当然、保険料も高額になります。市区町村によって保険料の上限額に若干の差はありますが、1か月当り7万数千円（介護保険料含む）の支払いが必要になってくるでしょう。

■医師国保の保険料と給付内容

ここで選択肢として登場してくるのが、医師国保（医師国民健康保険組合）です。前述のとおり、医師会に加入すると医師国保に加入できます。

大阪府医師国民健康保険組合を例にとると、加入者本人1人に対する健康保険料は月額32,700円、扶養家族は1人につき月額15,000円と決められています。たとえば本人と配偶者に、お子さまが1人とすれば合計62,700円です。本人もしくは配偶者が40

歳以上65歳未満の場合はお1人につき介護保険料5,400円が加算されます（保険料は令和4年4月1日現在）。国民健康保険料と比較して低額であるのは言うまでもありません。もちろん受診の際の一部負担割合も同じですから、ぜひ医師国保を利用しましょう。

給付内容（大阪府医師国保組合ホームページより一部抜粋）

	被保険者（本人）	扶養家族
傷病手当金　組合員（先生）※1	日額5,000円	－
〃　准組合員（職員）※2	日額2,500円	－
葬祭費　組合員（先生）	300,000円	100,000円
〃　准組合員（職員）	200,000円	100,000円

※1　就業不能11日目から1～365日間　（令和4年4月1日現在）
※2　入院初日から1～180日間
※1･2　加入1年経過後から適用

医師国保への加入手続きについては、各都道府県の医師会が窓口です。医師国保を別棟にしているところもありますから、事前に確認が必要です。

付け加えますと、医師国保は厚生年金保険との組み合わせが可能です。協会けんぽと厚生年金保険の組み合わせで加入するよりも、うんと節約（節税）することができますから、職員の社会保険加入にも適しています。

Point

医師会に入会したら医師国保を利用するのが王道です。

66 退職時の健康保険手続き

勤務医時代が社会保険なら、任意継続健康保険がおトク！

節税効果
☺☺☺☺☺
節税難易度
☹☹☹☹☹

勤務医を経て独立開業する場合、それまで勤めていた病院での社会保険資格を喪失し、新たに自分自身に公的保険をつけることになります。

勤務医時代は病医院から支給されるサラリーから選択の余地なしに引かれていた所得税や住民税、そして社会保険料。当たり前だと思っていたこれらの金額は、合計するとかなりの額になっていたはずですが、納付義務は給与支払い者、つまり病院であったため、深く考えたことがなかった方も多いでしょう。

■独立開業したら保険は素っ裸状態！

公的保険とは、 健康保険、年金保険、雇用保険、労災保険、大きくわけてこの４つになります。

健康保険は病気になったとき受診するため、年金保険は将来の老後資金の一部に資するため、雇用保険は失業の不安を取り除くため、労災保険は業務上（医療に従事するうえで）の事故から身を守り、働く人びとを保護するために法律が義務づけているもので、それぞれの役割が決まっています。

退職と同時にこれら法律の保護がなくなりますから、自分自身で家族を含めた自分の身を守っていかなければならなくなります。保険的には素っ裸の状態なのです。

■国民健康保険

真っ先に必要になるのが健康保険です。医師である院長自身やご家族も、いつ何どき医療機関のお世話になるか知れません。ですから直ちに何らかの健康保険に加入する必要があります。公的な健康保険は1人1保険で、かつ国民皆保険と義務づけられています。

一般的に、選択肢は2つです。国民健康保険または任意継続健康保険です。

前者の国民健康保険は院長自身がお住まい（住民票登録）の市区町村が保険証を発行する健康保険です。前職（勤務していた病院）の退職証明があれば加入することができます。退職証明を必要とするのはそれまでの保険資格を喪失した月日を確認し、重複しないよう翌日以降の保険加入手続きをするためです。

保険料の額は時期にもよりますが、おおむね前年の所得に応じて決まります。所得は勤務医時代の年末調整やその後の確定申告などを通じて自治体（市区町村）で把握していますから、改めて申告する必要はありません。

院長は医師という職業柄、高所得者ですから保険料はおのずと高額になります。保険料には上限がありますので果てしなく高額請求されることはないのですが、それでも1か月当たり7万数千円（介護保険料含む）の支払いは生じます。この保険料は市区町村によって多少の差はありますが、ほぼこのあたりの金額のようです。

■任意継続保険

一方、任意継続健康保険はどういうものでしょうか。

勤務医時代の健康保険が協会けんぽ（従来の政府管掌健康保険）であったならば、手続きをすることでこれまでと同様の給付を受けることができます。これを任意継続健康保険といいます。ちなみに国民健康保険には任意継続の制度はありません。

●手続き

手続きには条件が2つあります。

①被保険者資格が２か月以上あること。
②手続きは退職後20日以内に行なうこと。

前者は勤務して（協会けんぽに加入して）最低２か月の期間が必要であるという意味です。加入期間が２か月未満である場合は該当しないので注意が必要です。

後者の退職後20日以内の手続きとは文字どおり退職の翌日から20日以内に申請を行なうことです。退職後も引継ぎや残務整理などであっという間に時間は過ぎ、気がついたら１か月近く経っていたということはよく聞く話です。お忘れなく。

この２つの条件をクリアできると任意継続健康保険の被保険者としてご家族を含めてこれまでどおりの給付を受けることができます。

●保険料

任意継続健康保険の保険料はつぎのようになります。

これまでは病医院からの半額負担がありましたが、退職と同時にその恩恵はなくなりますから単純にこれまでの倍の額を納めることになります。というと、高額だ！ と思われるかもしれませんが、筆者が任意継続健康保険をすすめるには理由があります。

倍額を納めるとはいえ、任意継続健康保険料には上限があります。標準報酬月額30万円の保険料と決まっています。大阪府で例をあげるなら、15,330円×２倍＝30,660円になります（令和４年４月現在）。どうでしょう。在職時に引かれていた健康保険料よりも安いのではないでしょうか。

これは協会けんぽが任意継続健康保険の保険料の上限を、加入している全被保険者の平均値としているためなのです。

ただし、任意継続は健康保険だけであること。在職時にセットで加入していた厚生年金の任意継続はありません。また、任意継続被保険者としての加入期間は最長２年と定められていますから、この点も含めて選択してください。

Point

任意継続保険の手続きは退職後20日以内に！
お忘れなく！

67 障害年金

疾病や負傷による障害のある患者さんに「障害年金」を紹介する

節税効果

節税難易度

先生方は、「障害年金」をご存じでしょうか。

障害年金とは、「老齢年金」「遺族年金」に並ぶ公的年金の1つで、国民年金や厚生年金の被保険者（または被保険者であったもの）が疾病や負傷を原因として障害の状態になったときに受け取ることができる年金です。

この「障害」は、要件を満たせば、がんや糖尿病、うつ病などをはじめとする精神疾患を含め、ほとんどすべての疾病や負傷が対象となり、しかも障害の状態が継続する限り、その保障が続きます。

患者さんのなかには、この障害年金の存在をご存じない方がまだまだ大勢おられます。経済的不安は患者さんにとって大きなストレスになり、時には病状の回復の妨げになることもあるでしょう。

患者さんが障害を抱えて不安なとき、先生方に「障害年金」の存在を思い出していただければという思いでこの項を設けました。

ここでは障害年金の種類や受給要件などの基本的な内容を説明していきます。

■障害年金の「障害」とは

障害年金をもらうには一定の障害の状態である必要がありますが、国の障害認定基準によっておおよそつぎのように障害の等級が定められています。

障害の等級

1級	他人の介助を受けなければほとんど自分の用を済ませることができない状態。 身の回りのことはかろうじてできるが、それ以上の活動はできないまたは行なってはいけない状態
2級	必ずしも他人の助けを借りる必要はないが、日常生活はきわめて困難で、働いて収入を得ることができない状態
3級	傷病が治っておらず、労働が満足にできない状態

障害の状態であることや支給の有無、等級の決定についての判断は、診断書を中心とした請求書類をもとに、日常生活能力やその程度、回復の見込みなどから総合的に行なわれます。審査は、障害年金については、日本年金機構指定の認定医（医師）によって、厚生年金については機構の本部で、国民年金については都道府県の事務センターで、それぞれ行なわれます。

注意したいのは、障害年金の等級と、障害者手帳の等級とは別物であることです。障害者手帳が３級だからといって、３級の障害年金を必ずもらえるというわけではありません。

■障害年金でもらえる金額

障害年金は大きく分けて、「障害基礎年金」と「障害厚生年金」の２種類があります。

「初診日」に加入していた年金制度が国民年金であれば障害基礎年金、厚生年金であれば障害厚生年金の請求手続きをします。

障害年金でもらえる金額は、障害の程度や加入していた年金制度、さらには年金の加入実績や家族構成に応じてつぎのとおりに決まります。

障害年金の年金・手当金の額

障害の程度	支給される年金・手当金の額	
	障害基礎年金	障害厚生年金・障害手当金
1級障害	972,250円+子の加算額※1	（報酬比例の年金額）※2　× 1.25 ＋（配偶者の加給年金額）※3
2級障害	777,800円+子の加算額	（報酬比例の年金額） ＋（配偶者の加給年金額）
3級障害	―	（報酬比例の年金額） 最低保障額　585,700円
障害手当金 （一時金として支給）	―	（報酬比例の年金額）×2 1,171,400円に満たないときは 1,171,400円

※1 子の加算額：2人目まで1人につき223,800円/年、3人目から1人につき74,600円/年
【子の要件】18歳到達年度の末日（3月31日）を経過していない子
20歳未満で障害等級1級または2級の障害者
※2 報酬比例の年金額：被保険者期間の給与の平均月額×被保険者期間（月）×給付乗率
（被保険者期間が300月（25年）未満の場合は、300月とみなして計算する）
※3 配偶者の加給年金額：生計を維持されている65歳未満の配偶者（生計維持要件あり）がいる場合、配偶者加給年金として223,800円/年が支給される

この表のとおり、初診日に厚生年金保険に加入していた人が障害等級1級または2級に該当する場合には、同時に障害基礎年金も受給することができます。

初診日に加入していたのが国民年金のみであった場合には、受給できる年金は障害基礎年金のみとなります。この場合、障害基礎年金には3級がありませんので、障害等級が2級以上でなければ年金を受給できません。

障害厚生年金に関しては、本人の年金加入実績に応じてもらえる金額が変わります。

また、障害厚生年金3級に達しない障害の場合は、年金ではなく一時金として支給される障害手当金があります。これは障害厚生年金のみにある制度です。

■医師の診断書

障害年金を請求するにあたって最も重要な書類は、医師の診断書であるといっても過言ではありません。診断書には、障害があることによって日常生活に実際にどれくらい影響が及んでいるのか、正確かつ詳しく記載されている必要があります。

そしてこの診断書と併せて提出する書類についても、診断書との整合性がとれているかが重要な判断ポイントになります。しかし先生方が患者さんの日々の生活の具体的な内容までは把握しきれていないこともありますので、診断書を依頼された際は、患者さん本人、またはご家族の方からも、これらの点につき正確な情報を教えてもらう必要があります。

診断書の内容が、患者さんの日常生活能力や程度等の実情に適合していることが非常に重要です。

■障害年金の請求

障害年金は、支給・不支給の見込みが立ちにくいところがあります。国の障害認定基準がありますから、それと診断書を照らし合わせれば、おおよそ何級に該当するかの予想は可能かもしれません。しかし認定基準そのものが曖昧であるため、審査をする場所や人によって判断結果が変わることがあります。

さらに「初診日」(この「初診日」の時点で受給資格やもらえる年金の種類を確認します)の証明1つにしても、カルテが見つからなかったり、先に相当因果関係のある疾病がある場合には、そちらの初診日証明が必要になったりと、一筋縄ではいかない部分があります。障害年金は一度決定されるとその内容を覆すのにかなりの労力と時間を要することになります。ゆえに診断書や初診日証明をはじめとする請求書類は、万全を期して準備する必要があります。

患者さんが1人で請求することが不安な場合には、社会保険労務士等の専門家に相談するよう助言されてみてはいかがでしょう。

Point

障害年金は、年金を納める人の当然の権利として受け取れるものです。1人でも多くの患者さんにこの制度を知っていただきましょう！

68 マイナンバー制度

マイナンバー制度導入にともなう税務と社会保障実務の留意点

節税効果 ──
節税難易度 ──

ここでは、税、社会保障等の分野で利用が開始されているマイナンバーが病医院に与える影響についてご説明します（マイナンバー制度の概要説明や安全管理措置の重要性については割愛します）。

病医院でも各種手続きにおいてはスタッフ等のマイナンバーを手続書類に記載しなければならなくなっています。採用時には忘れずスタッフおよびその扶養するご家族のマイナンバーの写しを取得するようにしましょう。また、なりすましを防ぐ観点から、マイナンバーを取得する際は、運転免許証等により本人確認を行なうことが必要です。詳細な本人確認方法等については、内閣官房のホームページを参照ください。

■税務への影響

税務への影響としては、各種法定調書や給与支払報告書、扶養控除申告書等にマイナンバーを記載しなければならなくなった点が挙げられます。

具体的には、スタッフが退職した場合に発行する「給与所得の源泉徴収票」や「退職所得の源泉徴収票」にマイナンバーの記載が必要となります。

ここで注意したいのは、スタッフ本人に渡す源泉徴収票にはマイナンバーを記載してはならないということです。

本人交付が義務付けられている源泉徴収票等にマイナンバーを記載すると、その交付の際に個人情報の漏えいや滅失等防止のための措置を講ずる必要が生じ、従来よりもコストを要すること、また、郵便事故等による情報流出のリスクが高まるため、このような対処を行なうことになりました。

マイナンバーの記載が必要となるのは、あくまで税務署と市町村に提出するもののみということになりますので、お気をつけください。

法定調書に関しては、個人の家主や地主から建物や駐車場を賃借している場合や、個人で営む士業等に報酬を支払っている場合には、当該人のマイナンバーを支払調書に記載する必要があります。つまりスタッフ以外の人からもマイナンバーを取得し、併せて本人確認も行なう必要があるという点に注意が必要です。

●マイナンバーの記載が必要となる主な書類

〈法定調書〉

・給与所得の源泉徴収票（同合計表）
・退職所得の源泉徴収票（同合計表）
・報酬、料金、契約金及び賞金の支払調書（同合計表）
・不動産の使用料・譲受対価・斡旋料等の支払調書（同合計表）
・配当、剰余金の分配、金銭の分配および基金利息の支払調書（同合計表）

〈給与支払報告書等〉

・給与所得の給与支払報告書
・退職所得の特別徴収票

〈扶養控除申告書等〉

・給与所得者の扶養控除等（異動）申告書
・従たる給与の扶養控除等（異動）申告書
・退職所得の受給に関する申告書
・公的年金等の受給者の扶養親族等申告書

なお、給与、退職手当等の支払者（病医院）は、つぎに掲げる申告書を提出する場合、特例が設けられています。

1．給与所得者の扶養控除等（異動）申告書
2．従たる給与についての扶養控除等（異動）申告書
3．退職所得の受給に関する申告書
4．公的年金等の受給者の扶養親族等申告書

支払者（病医院）が、これらの申告書に記載すべき提出する本人（スタッフ）、控除対象配偶者または扶養親族等のマイナンバーなどを記載した帳簿をすでに備えているときは、これらの申告書を提出するスタッフは、その申告書に、その帳簿に記載されたスタッフおよびその扶養家族にかかるマイナンバーの記載を要しないという特例です。

■社会保障実務への影響

マイナンバー制度の導入に伴って、病医院が行なう社会保障にかかる実務が一部変更になりました。

最も多いケースとしては、労働保険（労働者災害補償保険、雇用保険）関連および社会保険（健康保険等、厚生年金保険）関連の届出書類にマイナンバーの記載が必要になったことでしょう。

たとえばフルタイムの正規職員（扶養家族2名）を1名採用するとします。この方は、雇用保険、健康保険（または医師国民健康保険）および厚生年金保険に加入することになります。また、扶養家族についても健康保険の扶養となる手続きが必要です。

そうした場合に各行政機関に届け出る各手続き書類には、当該スタッフおよびその扶養する家族のマイナンバーを記載する必要があります。

手続きを行なう際にマイナンバーの取得が済んでいない場合、手

続き自体が遅れることが想定されますので、順次、速やかに取得するようにしましょう。

●マイナンバーの記載が必要となる主な書類

〈雇用保険〉

- 雇用保険被保険者資格取得届
- 雇用保険被保険者資格喪失届
- 高年齢雇用継続給付受給資格確認票
- （初回）高年齢雇用継続給付支給申請書
- 育児休業給付受給資格確認票
- （初回）育児休業給付金支給申請書
- 介護休業給付金支給申請書

〈健康保険・厚生年金〉

- 健康保険・厚生年金保険被保険者資格取得届
- 健康保険被扶養者（異動）届
- 国民年金第３号被保険者関係届
- 健康保険・厚生年金保険被保険者資格喪失届
- 被保険者標準月額算定基礎届
- 被保険者標準月額変更届
- 被保険者賞与支払届

Point

スタッフを雇い入れた場合、本人分はもちろん、被扶養者のマイナンバーも忘れずに取得しましょう。その際、本人確認も行なってください。

第4章

医療法人だから できる節税策

医療法人は何がどう有利なのか、報酬や退職金、保険・年金、社宅家賃、交際費などについて見ていきます。

医療法人には、こんなメリットがある！

節税効果 ☺☺☺☺☺
節税難易度 ☹☹☹☹☹

「儲かってきたら法人にしたほうが得らしいよ」

医者同士のこういう会話を耳にすることがあります。それは本当なのでしょうか。どういうメリットがあるのでしょうか。

クリニックの場合、ドクターは1人で、あとはスタッフという、見かけは個人診療所と変わりないものの、れっきとした医療法人であるという例がめずらしくありません。「一人医師医療法人」という制度があるからです。

医療法人という形態を選択すれば、法人ならではのさまざまなメリットを受けることが可能となります。では、医療法人のメリットはどのようなものなのか、見ていきましょう。

■医療法人のメリット

●所得税から法人税へ！

個人経営では、所得税が課せられます。所得税は、所得額が増えるほど税率が高くなる累進課税方式です。医療法人であれば、法人税が課せられることになります。法人税の税率はほぼ一定です。しかも最高税率は、法人税のほうが低く設定されています。

●給与所得控除で経費の二重控除が可能に！

院長は、法人化後は理事長となり、所得の区分が事業所得から給与所得者になります。そのためサラリーマンに認められている給与所得控除という、出費のあるなしに関わらない自動控除が適用されますから、節税が可能になります。

●所得の分散が可能！

法人化により、所得を法人と理事長、さらに家族である理事の給与に分散することで累進課税の税率低下を図り、節税ができます。家族の給与額も、個人診療所の専従者より医療法人の理事の立場のほうが責任があるだけに高額でも認められる傾向にあります。

●退職金が出せる！

個人経営では、勤続年数にかかわらず、院長はもとより専従者である院長夫人についても退職金が経費になりません。医療法人の場合は、継続年数に応じ、退職時には退職金が支給でき法人の経費になります。生命保険を活用した退職金準備も可能です。

●生命保険料を経費にできる！

病医院経営は、他の業種のように社長交替ということはありえません。そのため万一に備えて多額の生命保険に加入しています。ところが生命保険料は経費にならず、少額の控除が認められているのみで、大部分を可処分所得から支払っています。法人契約の定期保険であれば、全額法人の経費になります。ただし、経費とならない契約実態もありますのでご注意ください。

●日当の支給が可能！

個人経営では、院長が学会で出張しても日当は支給できません。法人では、院長、院長の配偶者にもあらかじめ旅費規定で定めておけば日当の支給ができ、法人経費になります。

●資金繰り改善！

社会保険診療報酬に対する源泉徴収がなくなります。

●欠損金の控除期間が10年間！

医療法人の赤字（欠損金）は10年間繰越控除できます。個人事業の場合は青色申告者の場合でも３年間です。

●老健施設等の開設が可能に！

老人保健施設や老人訪問看護ステーションなどの開設は法人のみで、個人事業の場合は認可されません。

いかがでしょうか。これだけメリットが並ぶと、医療法人のほうがずっとお得な気がしてきます。しかしデメリットもありますから、しっかりと確認しておきましょう。

■医療法人のデメリット

医療法人は医療法で規定される法人のため、行政上、運営上の規制があります。しかし、いずれも特段の注意を必要とするものではなく、ごく一般的な、いわば当たり前の事項です。

①医療法により、法人での事業範囲に制約があります。理事長個人で行なう事業には制約がありません。
②剰余金の配当禁止規定があるため、株式会社のように出資に対する分散ができません。しかし出資は理事長が大部分であり、特に配当を期待して出資する人はいないため、問題はありません。
③行政官庁の指導監督が強化されます。医療法人の資金を投資に運用したり、個人的に利用した場合には、指導の対象となります。
④厚生年金は強制加入ですので、厚生年金の医療法人負担分の支出が増えることになります。
⑤法人の場合、交際費の損金算入には一定の制限があります。
⑥個人事業時代の小規模事業共済は解約しなければなりません。この際、解約一時金が支払われます。
⑦退社時および解散時において、拠出金（出資金）を超える剰余金

が生じたとしても個人に帰属することなく、国・地方公共団体または他の医療法人に帰属することになります。

とくに④の厚生年金の支出は、節税額を超えるほどの負担になることもありますから、慎重なシミュレーションが必要です。

また、⑦の解散時等の財産の帰属についても、後継者の有無や、引退時の売却の可能性などを踏まえてよく検討する必要があります。

医療法人の設立は、通常の法人とは違って行政の許可が必要なため、検討開始から実際の設立までは時間を要することが多い（場合によっては1年以上）です。そのことも考慮に入れて設立時期を検討しましょう。

【医療法人成り検討のチェックシート】

□課税所得が1,800万円以上である
□所得を分散できそうな家族がいる
□多額の生命保険をかけている
□厚生年金はたくさん払っても将来ちゃんともらえると思う
□医院の後継者がいる
□医院の売却に興味がある

チェックが3つ以上ついた方は、医療法人成りを検討されたほうがよいでしょう。

70 医療法人の借上げ社宅

借上げ社宅の本人負担を給与に反映させ手取りを増やす

節税効果 ☺☺☺☺☺
節税難易度 ☹☹☹☹☹

医療法人が社宅を使って手取給与を増やす裏技があります。

通常、理事長や従業員の自宅が賃貸住宅の場合、当然その家賃の支払はご自身の手取給与のなかから支払われているものと思います。

給与収入	500,000円
所得税・復興特別所得税	△29,890円
手取給与	470,110円
家賃支払	△100,000円
家賃支払後手許残高	370,110円

じつは少しの工夫で、この手取額を、誰も損をせずに、あっという間に増やすことができるのです。

賃貸されている住宅を医療法人で賃貸契約し、借上げ社宅とします。当然家賃は医療法人が支払うことになるのですが、このままだとその家賃分は経済的利益として個人の給与所得に加算されてしまいます。そこで医療法人が実際に支払っている家賃の半分を、本人から受取家賃として収受することにします。

このようにすれば、個人の給与所得にはその家賃分の経済的利益を加算しなくてもよいことになっています。そして、医療法人の実質的な負担増となる支払家賃から受取家賃を控除した金額分、本人の給与収入を引き下げます。

給与収入	450,000円
所得税・復興特別所得税	△21,560円
手取給与	428,440円
家賃支払	△50,000円
家賃支払後手許残高	378,440円

医療法人負担家賃　50,000円
（支払家賃100,000円－受取家賃50,000円）

医療法人の負担は、当初は給与支払500,000円、社宅借上後は給与支払450,000円＋実質家賃負担50,000円＝500,000円でまったく変わりません。

それに対し、個人の手取額は所得税が下がった分、約8,000円の手許残高が増えます。

それでは、いくらの家賃負担にすれば所得税がかからないのでしょう。

■使用人の場合

使用人に対して社宅を貸与する場合には、1か月当たり一定額以上の家賃を受け取っていれば給与として課税されません。

具体的にはつぎの①～③の合計額となります。

①その年度の建物の固定資産税の課税標準額×0.2％
②12円×建物の総床面積÷3.3
③その年度の敷地の固定資産税の課税標準額×0.22％

使用人に無償で貸与する場合は、上記の額が給与として課税されることになります。上記の額より低い額を受け取っている場合はその差額が給与として課税されることになりますが、使用人から受け取っている家賃が、上記の額の50％以上であれば、給与として課税されないことになっています。

なお、看護師など仕事を行なううえで勤務場所から離れて住むことが困難な使用人に対して、やむを得ず社宅を貸与する場合には、無償で貸与しても給与として課税されない場合があります。

■役員（理事）の場合

役員に社宅を貸す場合も一定額の家賃を受け取っていれば、給与として課税されません。

その場合の一定額は、社宅の床面積により小規模な住宅とそれ以外の住宅とに分け、下記のとおり計算します。

●小規模な住宅（木造132m^2（40坪）、非木造99m^2（30坪）以下の住宅。マンションの共用部を含みます）

つぎの①～③の合計額

①その年度の建物の固定資産税の課税標準額×0.2％

②12円×建物の総床面積÷3.3

③その年度の敷地の固定資産税の課税標準額×0.22％

●小規模な住宅以外の住宅（自院所有の場合）

つぎの①と②の合計額の12分の1

①その年度の建物の固定資産税の課税標準額×12％（非木造の場合は10％）

②その年度の敷地の固定資産税の課税標準額×6％

●小規模な住宅以外の住宅（他から借上げた社宅を貸与する場合）

自院所有の場合で計算した金額と、医療法人が家主に支払う家賃の50％の金額とのいずれか多い金額。

ただし、床面積が240m^{2}を超えたり、プール等の個人の趣味嗜好を著しく反映した設備のある豪華な住宅については使えませんので、適用範囲内の物件で借上社宅を検討されるのがよいでしょう。

また、現金で支給する住宅手当や、入居者が直接契約している場合は、給与として課税されますのでご注意ください。

Point

借上社宅をうまく使えば、誰の負担も増やさずに個人の手取額を増やすことができます。
給与として課税されないためには、一定額以上の家賃を入居者から受け取る必要があります。
住宅手当として現金支給した場合は給与として課税されてしまいます。

71 生命保険の活用

保険を活用すれば、税金の支払いを先延ばしできる！

節税効果 ☺☺☺☺☺
節税難易度 ☹☹☹☹☹

医院経営では、ほかの業種のように社長交替ということはありえません。そのため万一のときに備えて多額の生命保険に加入しています。

個人診療所の場合、生命保険料は経費になりません。少額の控除が認められているだけで、大部分を可処分所得から支払っています。

しかし医療法人の契約の場合は、全額経費になるものもあれば、2分の1が法人の経費と認められるものなど、保険の種類によっては節税にきわめて有用なものがあります。

そこで、保険を使った節税策を見ていきましょう。

■定期保険

一定期間内に被保険者が死亡した場合に保険金が支払われる契約で、掛け捨ての安い保険料で高い保障が得られるのが特徴です。

保険の本来の趣旨である、万が一に備えた保障という考え方に最も即した保険です。個人で加入されている同内容のものがあれば、法人契約に切り替えることで全額経費となります。

■養老保険

満期または被保険者の死亡によって保険金が支払われる生命保険です。法人が契約者となり、役員または使用人を被保険者とする養老保険に加入して支払った保険料は、保険金の受取人に応じて次のとおり取り扱われます。

(1) 死亡保険金および生存保険金の受取人が法人の場合

その支払った保険料の額は、保険事故の発生または保険契約が終了するときまで損金の額に算入されず、資産に計上する必要があります。

(2) 死亡保険金および生存保険金の受取人が被保険者またはその遺族の場合

その支払った保険料の額は、被保険者である役員または使用人に対する給与となります。

なお、給与とされた保険料は、その役員または使用人の生命保険料控除の対象となります。

(3) 死亡保険金の受取人が被保険者の遺族で、生存保険金の受取人が法人の場合

その支払った保険料の額のうち、その2分の1に相当する金額は(1)により資産に計上し、残額は期間の経過に応じて損金の額に算入します。

ただし、役員または特定の使用人のみを被保険者としている場合は、その残額はそれぞれ役員または使用人に対する給与になります。

ここでの節税のポイントは、上記(3)のとおり死亡保険金の受取人を被保険者の遺族に、満期保険金の受取人を医療法人にすることです。そうすることによって、保険料の2分の1が経費に、残りの2分の1が資産計上ということになります。

10年後の退職金に備えて医療法人で内部留保をしていくと、毎年、利益のうち約3割が税金として差し引かれ、残りの約7割しか貯蓄として内部留保されません。

【例】

①養老保険を活用しない場合

毎年1,000万円の利益を計上し、税金が400万円差引かれ、600万円を内部留保として積立てると、10年経過後には原資が6,000万円となる。

②養老保険を活用した場合

毎年1,000万円の利益を計上し、そのなかから保険料を600万円支払うと、2分の1が経費となるので、1,000万円－600万円×1/2＝700万円となる。その700万円から税金が4割280万円差し引かれ、420万円の内部留保。10年経過後には養老保険での積立原資が同じく6,000万円となる。

注目すべきは、②では①と比べて、毎年の税金の支払が120万円も安くすむことです。これは、実質的には毎年120万円の税金の支払を先延ばしです。よって、保険が満期になった場合や解約した場合には、これまで経費になっていた保険料が返戻金として収入に計上され税金がかかります。

ただ、退職金のための積立てだと考えれば、満期または解約時点で収入が計上されますが、一方では退職金という大きな費用が発生しますから、その時点でも税金が発生せず、結局、支払いを先延ばしのまま発生しない結果も考えられます。節税には非常に有用であると言えます。

■終身保険

死ぬまで保障のある生命保険で、支払う保険料は貯金と変わらないため、全額が資産計上となり節税にはなりません。節税効果も兼ねて保険を検討される場合は、ほかの保険を検討されたほうがよいかもしれません。

Point

医療法人は個人と異なり、保険契約によって保険料が費用になります。
終身保険は原則として費用にならないので節税を期待する場合には気をつけましょう。
保険による節税は税金の先延ばしであり、満期や解約時に先延ばしにした分、収入が発生します。そのときの税金対策まで考えておくべきです。

72 MS法人の設立

所得を分散させるだけでなく、医療隣接ビジネスや内部留保にも効果が

節税効果 ☺☺☺☺☺
節税難易度 ☹☹☹☹☹

MS法人（メディカルサービス法人）とは、病医院の診療と管理業務のうち、管理業務を分離させて設立される法人のことです。病医院が診療に専念することで効率的な経営を図ることを目的としています。したがってMS法人は、レセプト請求、薬品の卸売、事務全般、会計経理、リネンサービス、不動産の賃貸、医療機器の賃貸などの業務を行ないます。

MS法人を設立して節税を図るには、上記のような管理業務を業務委託し、その委託料を支払うことによって病医院の所得をMS法人に分散するという図式が描けます。

また、院長個人でも不動産賃貸業を営んでいる場合、その収益物件をMS法人へ売却することによる所得分散も可能です。

さらにMS法人の役員を配偶者や子にすることによって、役員報酬の所得分散も可能になりますから、この面でも節税が図れます。

こう説明すれば、MS法人の設立はいいことづくめのようですが、注意点があります。

〔注意点1〕税務当局に利益操作など疑いの目を向けられ、非常に厳しい税務調査となるケースが多い

MS法人は親族経営の同族会社となることがほとんどで、委託料の設定等に恣意性が入ることが多いため、税務当局の風当たりが非常に強いのです。せっかく所得分散を図ったとしても、税務調査で否認されれば分散どころか余分な税金の支払いをすることになってしまい、元も子もありません。

そうならないためにも、適正な取引として正当性を主張できるように根拠を準備しておくことが重要です。契約書、請求書、領収書などを残すとともに、通帳を通じて取引事実を立証できるようにしておきましょう。また、取引金額は、外部の見積もりをとるなどして第三者との取引と同条件であるよう配慮することが大切です。

なお、不当に利益が移転されることを防止するため、医療法人は一定金額以上の取引のあるＭＳ法人等との取引状況を都道府県知事に報告することが義務づけられています。

以下に、一般的に適正な取引と認められやすい基準を例示しておきます。

① 人材派遣または業務委託
委託料＝実際の人件費の 1.5 倍～ 1.8 倍

② レセプト請求事務
手数料＝レセプト請求額× 2.0%～ 2.5%

③ 薬品および医材の販売
価格＝原価の 1.1 倍～ 1.2 倍で薬価以下の金額

④ リース料
月額リース料
＝医療機器等の取得価額の 1.2 倍÷リース期間の月数

〔注意点2〕医療法人の理事長はMS法人の役員になれない

通常、医療法人の理事長はMS法人の役員となれないため、所得分散のために、配偶者がMS法人の代表取締役となられるケースが多いようです。

ただし、これは配偶者が医療法人の理事等でない場合に限られます。医療法人の役員がMS法人の役員を兼務すると、MS法人が医療法人を実質支配し、医療法人の非営利性に支障が生じる可能性があるからです。役員を選ぶときは慎重に検討しなければなりません。なお、医療法人とMS法人の取引が少額である場合等には、兼務が認められる場合もあります。

〔注意点3〕株式会社の設立費用や毎年の管理コストがかかる

株式会社の設立費用や、印鑑・ゴム印の作成、MS法人の帳簿の作成および税務申告書作成のための税理士費用、法人住民税の均等割（所得に関係なく資本金等の額と従業員数に応じて課税されるもの）などが余分に必要となります。かかるコストとメリットをよく比較する必要があります。

〔注意点4〕消費税の負担が発生する可能性がある

MS法人の売上は委託料などの課税売上が中心になり、売上が1,000万円超になると消費税の課税事業者になるため、消費税の納付が必要となるケースがあります。課税売上が1,000万円超になる場合は、消費税の納付額と節税などのメリットをよく比較する必要があります。

所得分散による節税以外にも、MS法人はさまざまな活用方法があります。せっかくつくるのであれば、その活用まで視野にいれておきましょう。

①通常MS法人は営利法人である株式会社であるため、医療法上、医療法人ではできない健康食品や健康グッズ、サプリメントの販売など、医療に隣接する営利ビジネスを行なうことが可能になります。また、医療法人と異なり業務制限がないため、オペレーティングリースなどの投資型の節税商品を活用することも可能です。

②医療従業員と非医療従業員との所属を分けることにより、病医院とMS法人で異なる人事制度を構築することが可能になります。それぞれ業種の違いに応じた人事制度をとることによって、人件費の改善や処遇の見直しが可能になります。

③医療法人は医療法により剰余金の配当が禁止されているため、利益がでると内部留保がたまりやすいという性質をもっています。旧医療法下に設立された医療法人では、その内部留保が出資持分の価値の増加につながり、結果として相続税評価額が増加し、医療法人への出資を子に相続・贈与する際に膨大な相続税や贈与税が発生し、そのために事業承継が困難になる例が多々あります。MS法人を活用し、所得分散することによって医療法人の内部留保の蓄積を抑えることができます。MS法人では剰余金の配当をすることも可能です。

新医療法下に設立された医療法人については、残余財産が国等に帰属するという問題があるため、その残余財産を抑える手段としても、所得分散のできるMS法人を活用することが有効と言えます。

Point

MS法人は、業務委託料などによる所得の分散が可能です。
MS法人との取引は税務当局から否認を受けやすいため、適正取引と証拠資料の整備が重要です。
MS法人の設立には管理費がかかる等のデメリットもあります。
MS法人は所得分散による節税以外にも活用方法があります。

73 交際費と会議費

5,000円以下の交際費と会議費を活用する

節税効果
☺☺☺☺☺

節税難易度
☹☹☹☹☹

税務上交際費とは、「交際費、接待費、機密費その他の費用で、法人がその得意先、仕入先その他事業に関係のある者等に対する接待、供応、慰安、贈答その他これらに類する行為のために支出するもの」を言います。

業務上必要な支出であれば、交際費となります。業務の内容・効果の程度などを総合的に勘案します。

友人の医師との食事でも医学情報や嘱託医の紹介などを目的としたものであれば費用として認められるでしょう。

交際費は、支出した金額すべてが損金になるわけではありません。損金として認められる部分には、限度額が設けられていますから注意が必要です。

限度額については下記を参照ください。

(1) 出資金が1億円以下の医療法人の限度額

下記①、②いずれかの金額が限度額となります(選択可能)。

①800万円(1年未満の場合は月数按分)

②交際費のうち飲食にかかった費用×50%

(2) 出資金が1億円超の医療法人の限度額

交際費のうち飲食にかかった費用×50%

(3) 基金拠出型法人(資本または出資を有しない法人)の限度額

つぎの算式で計算した金額を出資金の額に準ずるものとし、(1)と(2)のどちらに該当するか判定します。

〔期末総資産の帳簿価額 － 期末総負債の帳簿価額 －（当期の利益の額または△当期欠損金）〕× 60／100

節税になるからと思ってどんどん交際費を使っても、上記を踏まえておかなければ無意味になってしまいます。該当する出資金と限度額は覚えておいてください。

ただしこの規定は法人に対して定められたものですから、計上できる交際費の上限額の定めのない個人診療所には関係ありません。したがって交際費という部分だけで法人と個人のメリットを比較すれば、個人のほうが得になります。

では法人化されている場合、どうすれば節税になるのか。これを見ていきましょう。

得意先や取引先の方を接待するための飲食は交際費になります。交際費となれば原則上記の計算どおり一定の金額を超える部分は費用には認められません。

しかし、以下の要件を満たせば、認められます。

〈1人当たり5,000円以下〉で、

①飲食等の年月日

②飲食等に参加した人の氏名・名称・関係

（得意先・仕入先・その他事業に関係のある者がいなければならない）

③飲食等に参加した者の数

④飲食にかかった金額、店の名前、所在地

これらの事項を記載した書類を保存しておけば、その飲食代金は全額損金と認められます。

1人当たり5,000円以下ということがポイントですから、事前に飲食店に1人5,000円以内でと頼んでおくことができれば、あとの処理を気にせずにすみます。

なお、上記要件を満たすために、別に表を作成してそこに領収証を貼っておく、あるいはそれが面倒であれば領収証の空いたスペースや裏側に足りない部分を書いておくことをおすすめします。いずれでも認められます。

■会議費の活用

さて、飲食費については、もう1つ節税の方法があります。

それは会議費です。会議費とは、「会議に関連して、茶菓、弁当その他これらに類する飲食物を供与するために通常要する費用」を言います。つまり会議に関連して出されるものであれば、飲食を伴っても交際費から除外することができるのです。

一般的に会議費は1人当たり3,000円程度であれば認められると言われています。乾杯程度であれば、お酒が入っても大丈夫なようです。

Point

交際費でも1人当たり5,000円以下であれば全額経費にできます。この取扱いは飲食代に限られます。医療法人のスタッフだけで病医院外の人がいない場合は認められません。
1人当たりの金額は税抜経理の場合は税込5,500円（税抜5,000円）、税込経理の場合は税込5,000円（税抜4,545円）以下となるため税抜経理のほうが有利です。
一定の要件を満たす明細書の保存が必要です。
会議費にするには会議としての実態を備えていることが必要です。会議費は、スタッフであっても認められます。
会議費の「1人当たり3,000円程度」は一般的に言われているもので法律で決まっているものではありません。

74 決算期の変更

利益が増え過ぎる前に決算期を変更してしまう

節税効果 ☺☺☺☺☺
節税難易度 ☹☹☹☹☹

医療法人に限られますが、非常にシンプルで、とくに今期利益が噴き出してしまいそうだというときにできる効果的な方法があります。それは決算期の変更です。

たとえば12月決算で、6月時点で利益が予想以上に出すぎてしまった。こういう場合に決算期を6月に変更すると、今期の利益は1月～6月までの6か月分のみになります。来期は7月～6月までの1年間あるので、時間をかけてほかの節税対策をとることが可能になります。

一見、ただの先送りに見えますが、スポット的に利益が出すぎてしまった場合と、時間をかせげれば来期はほかの節税が可能となる場合に威力を発揮します。

法人でなくても、個人診療所が医療法人になる場合も、法人の設立日を調整することで同様の効果を得られます。ただし、各行政単位により設立時期が限定されている場合が多いので注意が必要です。

医療法人の決算期変更手続きは比較的容易で以下のとおりです。

- 定款の一部変更許可申請
- 定款の変更
- 税務署への異動届の提出

Point

スポット的に利益が出すぎた場合と、時間があれば来期の節税が可能な場合にとくに有効です。

75 法人成りしたときの社会保障（健康保険編）

協会けんぽと医師国保、選択できるけどどちらがトク？

節税効果 ☺☺☺☺☺
節税難易度 ☹☹☹☹☹

個人診療所の場合、職員を雇用していても事業主である先生自身やご家族は健康保険（協会けんぽ）に加入することはできません。なぜなら社会保険上、保険加入できるのは使用される労働者、つまり職員のみと定められているからです。個人経営者は使用者であり、保険の上では保護（加入）の対象となっていないのです。

一方、法人成りすると、医療法人が使用者となり、理事は医療法人に使用される労働者とみなされます。今度は、健康保険（協会けんぽ）の被保険者として加入対象になります。

そしてもう1つ、健康保険適用除外の承認を受けることによって医師国保（医師国民健康保険組合）への加入も可能になるのです。

では協会けんぽと医師国保、どちらを選択すればよいのでしょう。

法人として社会保険の適用を受けるには、個人開業医時代に加入している保険の種類によって対応がつぎのように異なります。

（1）個人開業医時代に健康保険（協会けんぽ）の適用を受けている場合

結論を先に申し上げると、「債権債務の引継書」を提出することにより、そのまま適用を受け続けることができます。簡単に言えば、個人から法人へ名称変更の手続きを行なうことによりそのまま加入し続けることができるのです。

前述のとおり、法人格を有した時点で理事である先生も健康保険に加入することができます。もちろん、扶養しているご家族がいるなら被扶養者となることもできます（健康保険上における扶養の範囲については別の項で述べています)。

保険料は報酬(給与)により定められていますので、すでに加入の職員と同様、報酬に見合った金額を納めることになります。一般的に理事報酬は高額ですから保険料は最高等級になることが多いでしょう。ちなみに協会けんぽ大阪の健康保険料上限は本人負担額で71,029円です(令和4年4月現在)。

(2) 個人開業医時代に医師国保に加入している場合

法人成りすることで保険加入に影響を及ぼすことはありません。医師国保の窓口へ個人から法人格を有したことを証する書類を提出することで足りるでしょう。保険料に変更はありません。

(3) 先生のみ医師国保に加入している場合

法人成りすることにより職員の社会保険の加入が義務付けられます。医師国保には組合員(先生)と準組合員(職員)、そしてこれらの家族という区分で保険料が定められています(詳細については第3章「医師国民健康保険組合」の項を参照)。よって、要件を満たす職員は準組合員として加入させなければなりません。

(4) 先生自身の住所地の国民健康保険に加入している場合

これまでどんな健康保険に加入していようとも、法人成りすると社会保険の加入が義務づけられます。よって健康保険(協会けんぽ)に加入することになります。

なお、このケースの場合、医師国保に加入するという選択はありません。医師国保は医療法人が新たに加入することはできず、個人開業医時代に加入している場合に限り、法人成りしてからも継続して加入することが可能になります。

(5) 勤務医時代の任意継続健康保険に加入している場合

勤務医時代の健康保険は、退職後も2年間は継続加入できますので安い保険料として恩恵を受けている先生がいらっしゃるかもしれません。この場合も(4)同様、法人成りすると社会保険の加入が義務づけられます。よって健康保険(協会けんぽ)に加入することになります。また、(4)と同様の理由で医師国保には加入できません。

個人開業医時代の健康保険の加入については、おそらく上記5つのパターンが考えられますが、いずれにせよ法人成りすると健康保険(協会けんぽ)または医師国保のどちらかを選択し、そのうえで厚生年金に加入しなければなりません。

・前述のとおり、医師国保は法人成りした後、新たに加入することができませんので、医師国保に加入する場合は個人開業医時代に加入手続きを済ませておく必要があります。

2択についての結びです。

ご存じのように医療機関受診の際に窓口で支払う一部負担金割合は、どちらもほぼ同じです。その他の給付については受給する頻度が低いため、保険料の多寡で考え選択してよいでしょう。

Point

法人成りする前に医師国保に加入しましょう。

76 法人成りしたときの社会保障（年金保険編）

国民年金と厚生年金、どちらがトク？

節税効果 ☺☺☺☺☺
節税難易度 ☹☹☹☹☹

前項に続いて年金保険の加入について考えましょう。

医療法人設立後は、社会保険への加入が義務付けられます（個人開業医でも、一定数の職員を雇用した段階で厚生年金への加入が義務付けられます）。健康保険と同様に、医療法人が使用者となり、理事は医療法人に使用される労働者とみなされ、要件を満たすすべての職員とともに年金保険の加入対象（強制加入）になります。

法人成りすると同時に、所属の医師会から社会保険の加入手続きをただちに行なうよう指導されます。かつて大阪府では医療法人の社会保険加入率が低かったために会計検査院から調査が入り、対象事業所となる医療法人や医院は社会保険事務所（現、年金事務所）に呼び出され、適用事業所であるかどうか、適正な加入が行なわれているかどうか調べられた経緯があります。この一件があって以来、医師会は法人成りと同時に社会保険の加入について法令順守の立場をとっているようです。

■年金は選択肢がなく厚生年金保険だけ

個人開業医なら、国民年金に加入することもできたでしょう。国民年金の保険料は、加入者の所得にかかわらず一律で、1か月当たり16,590円です（令和4年4月1日現在）。一方、厚生年金保険は所得に応じて保険料が決まりますから、一般的に国民年金より高額になります。しかし、繰り返しますが、医療法人設立後は、社会保険は強制加入になり、年金は、厚生年金保険になります。健康保険は2つから選択することができましたが、年金は厚生年金保険だけです。

　選択肢がないなら、厚生年金保険は保険料が高くて損だと思われるかも知れません。

　ですが、被保険者が扶養している配偶者は、第3号被保険者と呼ばれ、保険料を払わずとも国民年金に加入しているとみなされるので、非常に優遇されています。

Point

法人設立後は厚生年金制度の適用を受けます。

77 最適役員報酬の設定

税率差を生かして、最適役員報酬を定める

節税効果 ☺☺☺☺☺
節税難易度 ☹☹☹

所得分散が節税にきわめて有効なことはおわかりいただけているはずです。ご家族への給与の扱いについてもご理解いただけているでしょう。

では、医療法人で役員報酬を設定する際に、具体的にいくらの金額にすればいちばん節税になり、個人、法人トータルの手取額を増やすことになるのでしょうか。

■最適役員報酬の決め方

一般的な例として理事長と理事２名（配偶者、子）の医療法人である場合、病院の経済活動からもたらされる利益は、役員報酬として理事長と各理事に分散され、残りが医療法人の所得となります。各個人に配分された所得については所得税が累進税率により課され、医療法人には法人税等が課されることになります。そしてそこには税率の差が存在します。

トータルの利益を、理事長、配偶者である理事、子である理事、医療法人の４つにどのように配分すれば、税率差を生かしてトータルの税額の支出額を最も抑えられるのか、その考え方を最適役員報酬といいます。

たとえば次ページの表を見て考えてみましょう。現状データでは、トータルの利益が50,000千円として、理事長に30,000千円、配偶者である理事に10,000千円、子である理事に3,000千円、残りを医療法人の所得として7,000千円と配分しており、トータルの税金として13,494千円を支払っています。

比較データでは、これを理事長20,000千円、配偶者である理事12,000千円、子である理事9,000千円、医療法人9,000千円と配分し直しています。するとトータルの税金は10,394千円となり、現状と比較して3,100千円も安くなることになります。

配分の割合を少し変えるだけで、こんなにも税金が変わることになるのです。

もちろん、役員報酬はいくらでも認められるというわけではありませんので、適正額の範囲内にはなりますし、医療法人は配当が禁止されているため医療法人への配分をどう考えるかという問題もありますが、顧問税理士に少し聞くだけでこのような最適役員報酬のシミュレーションが可能になります。

・現状データ

（単位：千円）

医療法人	法人税等	個人税金	理事長	理事（配偶者）	理事（子）	個人計	総合計
所得金額	7,000	給与の額	30,000	10,000	3,000	43,000	50,000
		給与所得	28,050	8,050	2,020	38,120	
法人税	1,158	社会保険料	1,677	1,315	473	3,465	
事業税	—	基礎控除	0	480	480	960	
道県民税	30	課税所得額	26,373	6,255	1,067	33,695	
市民税	113	所得税	7,916	840	54	8,810	
		住民税	2,642	630	111	3,383	医療法人個人計
税金合計	1,301	税金合計	10,558	1,470	165	12,193	13,494
対税（％）	18.6%	対税（％）	35.2%	14.7%	5.5%	28.4%	27.0%

・比較データ

（単位：千円）

医療法人	法人税等	個人税金	理事長	理事（配偶者）	理事（子）	個人計	総合計
所得金額	9,000	給与の額	20,000	12,000	9,000	41,000	50,000
		給与所得	18,050	10,050	7,050	35,150	
法人税	1,579	社会保険料	1,677	1,423	1,257	4,357	
事業税	—	基礎控除	480	480	480	1,440	
道県民税	34	課税所得額	15,893	8,147	5,313	29,353	
市民税	135	所得税	3,786	1,263	648	5,697	
		住民税	1,594	819	536	2,949	医療法人個人計
税金合計	1,748	税金合計	5,380	2,082	1,184	8,646	10,394
対税（％）	19.4%	対税（％）	26.9%	17.4%	13.2%	21.1%	20.8%

※所得税の金額は復興特別所得税を含んでいます

Point

個人、医療法人トータルの税金の支出を低く抑えられる最適な役員報酬の金額が存在します。最適役員報酬のシミュレーションは顧問税理士に少し聞くだけで計算してもらえます。

78 理事退職金の活用

家族の理事も含む退職計画で、税金を大幅に圧縮できる

節税効果
☺☺☺☺☺
節税難易度
☹☹☹☹☹

医療法人設立メリットの1つとして、理事に対する退職金の支給が可能であることが挙げられます。

個人診療所であれば、自身や専従者が退職しても、退職金を支給して経費とすることはできませんが、医療法人であればそれが可能になるのです。

■退職金の支給額

退職金は原則として社員総会で支給が決定されることになりますが、理事の退職金はいくらであっても経費として認められるというものではありません。

① 理事として従事していた期間
② 退職の事情
③ 同規模の他の医療法人の退職金の支給状況

などを総合的に勘案して不相当に高額でなければ経費として認められることになります。

適正な退職金額の計算は、次の算式が実務上最も多く用いられます。

最終報酬月額 × 在職年数 × 功績倍率

功績倍率については、創業理事長の場合、その貢献度合にもよりますが3.0倍～3.5倍程度であれば認められているようです。

■退職金の税金

退職金を受け取った側は、退職所得として所得税と住民税が課せられますが、退職所得の計算は非常に優遇されています。

受給額と比べて、退職所得は半分以下になります。

退職所得 ＝（ 退職金の金額 － 退職所得控除額※ ）× 1/2

※退職所得控除額 ＝ 40万円（20年超の部分は70万円）× 勤続年数

【例：創業理事長】

最終報酬月額150万円×在職28年×功績倍率3.0＝1億2,600万円

退職所得 ＝ {1億2,600万円 －（20年×40万円＋8年×70万円）} × 1/2 ＝ 5,620万円

■理事退職金の活用

理事退職金は、医療法人側ではまとまった大きな経費を計上でき、受け取る個人側では少ない税金ですむという非常に有効な節税手法ですが、何度も使えないことが欠点です。

節税のために、いきなり理事長が退職することはまずできないでしょうから、理事長以外に、配偶者や親族を理事にされておくと、役員報酬での所得分散以外にも、計画的な退職と退職金の支給による節税が可能になります。配偶者や親族の退職金の支給額決定についての功績倍率は、1.0倍～2.0倍程度が妥当と思われます。

実際に退職しなくても、常勤理事から非常勤理事に変わるなど職務分掌に大きな変更が行なわれ、報酬が50％以上下がり、かつ経営にも参画しなくなった場合には、退職金の支給が認められます。少ないながらも所得分散をしておきたい方はご検討ください。

Point

理事の退職金は節税には非常に有効です。
適正な理事退職金を計算する場合に参考となる算式があります。
実際に退職をしなくても退職金を支給できるケースがあります。

79 医療法人の出資持分問題を解決する

払戻しや相続税負担が打撃に。早期に出資持分対策を

節税効果 ☺☺☺☺☺
節税難易度 ☹☹☹☹☹

■「医療法人の出資持分問題」とは

まず、ご自分の医療法人が「出資持分ありの医療法人」なのかどうかご承知でしょうか。

社団医療法人であって、その定款に出資持分に関する定め（通常は、①社員――従業員ではありません。社員総会に出席し意思決定を行なう方です――の退社に伴う出資持分の払戻し、および、②医療法人の解散に伴う残余財産の分配に関する定め）を設けている医療法人が、「出資持分ありの医療法人」です。

社団医療法人に出資した者が、その医療法人の資産に対し、出資額に応じて有する財産権を「出資持分」と言います。

出資持分は経済的価値を有する財産権であり、定款に反するなどの事情がない限り譲渡性が認められ、贈与税や相続税の課税対象にもなります。

●出資持分に起因する問題

定款の規定に基づく出資社員の退社時の持分払戻請求権や、医療法人の解散時の残余財産分配権として行使されるのが、最も典型的な権利の発現形態で、つぎのような問題が発生します。

①出資持分に相続税課税がなされ、その支払いに窮する
②出資持分をもつ社員が退社し、出資持分の払戻請求権を行使した場合、その払戻しが多額となり医療法人の経営を圧迫する

平成19年施行の第5次医療法改正により、平成19年4月1日

以降、出資持分のある医療法人の新規設立はできなくなりました。けれど、既存の出資持分のある医療法人については、当分のあいだ存続する旨の経過措置がとられており、これらは「経過措置型医療法人」と呼ばれることもあります。

このような経過措置型医療法人は、令和3年3月31日現在、社団医療法人の67.6％を占めています。すなわち平成19年4月1日以降に医療法人化されたところを除けば、ほとんどの医療法人が出資持分問題を抱えていることになります。

●深刻な事態に発展したケース

出資持分問題は、深刻な事態をもたらすことがあります。具体的な事例をご紹介しましょう（厚生労働省医政局『出資持分のない医療法人への円滑な移行マニュアル』平成23年3月発行より）。

【事例】設立後の出資金でも12倍を払い戻すことに

――昭和34年に設立された社団医療法人に、設立から11年を経過した昭和45年、50万円を出資し入会したA社員がいた。その後、このA社員は昭和63年にその医療法人を退社、自らが出資した50万円に相当する出資持分の払戻しとして約5億円を請求した。

これは裁判所にもち込まれ、結果、裁判所は、設立後に出資を行なって入会した場合は、当該出資時における医療法人の資産総額に当該社員の払込済み出資額を加えた額に対する当該出資額の割合によるとして、最終的には約600万円の払戻を命じた。

医療法人としては、50万円が18年後に12倍の約600万円になるというのは、残って頑張る社員にとっても納得がいかない。これが途中出資でなく、当初より50万円を出資していたなら、約5億円相当を払い戻すこととなり、医療法人は経営を維持できなくなるではないかと思うものの、その思いに沿う結果にはならなかった。

この裁判では、社員に払い戻すべき金額は、退社した時点での医療法人の純資産に対し、出資額に応じた額とし、当初の出資した金額を限度とはしていない。

【事例２】承継者の手元に資金は残らなかった

――承継者の父は有床診療所を経営していたが３年前に他界し、承継者は相続の申告を終わらせた。

その医療法人は毎期経常利益2,000万円を計上しており、歴史もあり、土地も広いため、医療法人の出資持分評価額は３億円になる。承継者の父である前理事長が個人で所有する物納可能な土地の評価額が約１億円、その他預金４億円で、総額の相続財産は８億円になる。

相続人は、次期理事長である承継者と他家に嫁いだ姉が２人いた。相続税の総額は３億1,300万円で、承継者は医療法人の出資持分を全額相続し、その納税用に物納用土地とその他資産のうち預金１億円を相続することとなった。

そのため承継者が負担すべき相続税は約２億円となったため、１億円は土地を物納し、残り１億円は相続した預金で支払った。承継者の手元には医療法人の出資持分３億円が残った。

姉たちはそれぞれ１億5,000万円の相続を受け5,600万円を納税することとなったため、１億円相当の財産を手に入れることができた。

一方、承継者に残ったのは、解散時にしか手に入れることのできない出資持分という結果となり、承継者は納得していない。

このように、医療法人の経営に参画してきた出資社員とのあいだや親族間の争いに発展するケースが数多くみられます。

■医療法人の選択肢と検討すべき課題

出資持分問題は、先生方の病院や診療所の事業承継に大きな影響を及ぼします。しかも法律関係や課税問題が大変複雑な課題でもあります。

どうすれば問題を解消できるのでしょうか。医療法人の選択肢と検討すべき課題を整理してみました。

「持分あり医療法人」の選択肢

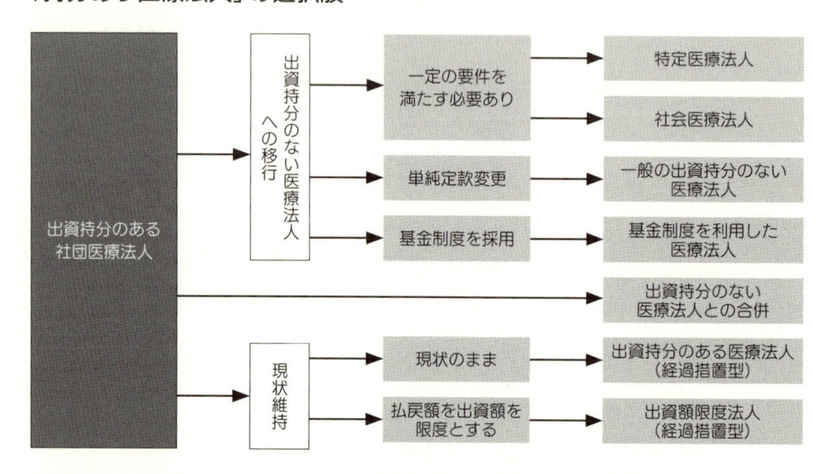

経営権と課税問題から検討する医療法人の相続・事業承継

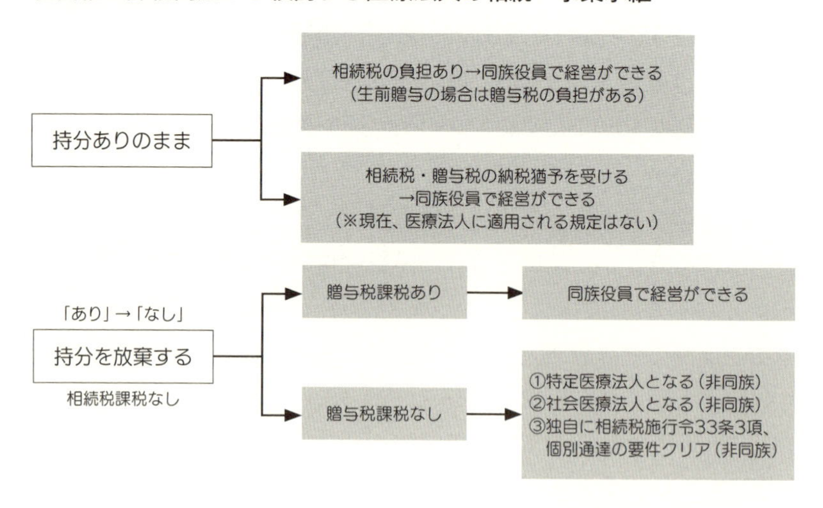

※持分を放棄する場合には医療法人に対しての贈与税課税の問題があります

対応策として申し上げておきたいことは、以下のとおりです。できるだけ早くとりかかってください。

①出資持分をもっているのは誰なのか？
　設立時の定款や過去の社員総会議事録で確認してみる。
②医療法人の社員は誰なのか？
　設立時の定款や過去の社員総会議事録で確認してみる。
③自院の出資持分の評価額はいくらなのか？
　試算してみる（会計事務所に依頼）。
④自院の事業承継について会計事務所に相談してみる（もしくは事業承継問題の解決に強い会計事務所を探す）。

Point

早期にこの問題に目を向け、よい相談相手を見つけることです。

80 役員に賞与を支給する方法

「事前確定届出給与」にしておけば役員賞与は経費になる

節税効果 ☺☺☺☺☺
節税難易度 ☹☹☹☹☹

■「事前確定届出給与」とは

・税務上の取扱い

個人事業ではなく医療法人組織にしている場合、院長は役員となり、月々の報酬は役員報酬として受け取ります。

従業員の賞与とは異なり、役員賞与はお手盛りを防止することから自由に支給することはできません。社員総会で役員賞与の金額を決定し、その決定に従って「事前確定届出給与に関する届出書」を税務署に提出すれば、役員賞与を支給しても税金計算上、損金にできます。

この届出書の提出期限は、社員総会の決議をした日から１か月を経過する日、もしくは会計期間開始の日から４か月を経過する日のいずれか早いほうになります。決議をした社員総会の議事録を作成し保管することも必要です。

その際の注意事項は下記の点になります。

①役員賞与の支給額・支給日について

税金計算上、医療法人の損金にするためには「事前確定届出給与に関する届出書」に記載して届け出た人ごとの金額・日付どおりに役員賞与を支給する必要があります。金額や支給日を変更してしまうと損金にすることができません。

たとえば金額について、「事前確定届出給与に関する届出書」には100万円としていたのに実際は50万円しか支給しなかった場合、支給した50万円は損金として認められません。あるいは150万円支給した場合には、届け出た100万円との差額50万円ではなく、150万円全額が損金として認められなくなってしまいます。

届出額	実際の支給額	損金不算入額
100万円	100万円	―
	0円	―
	50万円	50万円
	150万円	150万円

②役員賞与の不支給について

役員賞与を支給しなかった場合には、そもそも賞与が発生しませんから、損金不算入額はゼロです。業績が思わしくない場合には支給をしないことも考えられます。ただ、不支給については、あくまでも医療法人の理事長、理事からの辞退によって行なうことになりますので、支給しない場合は届出をした支給時期の到来前に議事録と辞退書等を作成し、辞退の意思を明示しておきましょう。

これらの書類を作成しておかなければ、支給しなかったとしても、事前確定届出給与の金額について源泉徴収を行なうことになりますので注意が必要です。

③過大役員給与について

その法人の収益および使用人に対する給与の支給状況や、同業類似法人の役員給与の支給状況などに照ら合わせて、事前確定届出給与の支給額がその役員の職務に対する対価として相当でない場合には、その給与は過大給与となり損金にできない可能性があります。

④社会保険について

・厚生年金保険料の計算

役員賞与の標準賞与額には上限があります。ひと月の賞与支給額は150万円が上限です。150万円を超える賞与を支給しても150

万円とみなして厚生年金保険料が計算されます。厚生年金保険料の本人負担額および医療法人の負担額は150万円を支給した場合と同額になります。

たとえば200万円支給した場合の厚生年金保険料は200万円×18.3％＝366,000円（被保険者負担分含む）とはならず、150万円×18.3％＝274,500円（同）となります。役員賞与額が300万円でも同様です。

・健康保険料の計算

ご自身が加入されている健康保険の保険者によって異なります。

医師国保・歯科医師国保に加入されている方は、役員賞与支給時に健康保険料が発生しません。一方、全国健康保険協会（協会けんぽ）に加入されている方は、役員賞与額×一定の料率（たとえば大阪府の令和４年度の健康保険料率は、介護保険第２号被保険者に該当しない場合10.22％※）で健康保険料を計算し、医療法人と役員賞与の支給を受けた本人とでその保険料を折半することになります。こちらも厚生年金保険料同様上限があり、その上限は年間573万円（毎年４月１日から翌年３月31日までの累計額）となります

※健康保険料率は年度および各都道府県により異なります。

⑤役員賞与の額を決める際に検討すべきこと

・役員退職金の損金算入限度額への影響

理事長や理事の方の役員退職金についての損金算入限度額は、実務的には理事長や理事の方の最終月額報酬をもとに計算することになります。役員賞与を多額に支給したからといって損金算入限度額が増えることにはなりませんので、役員退職金を支給する際に損金にできる支給限度額を加味したうえで役員の毎月の給与額、そして役員賞与額を検討する必要があります。

・将来の厚生年金受給額への影響

厚生年金は平均標準報酬月額等によりその額が決定されますので、多額の役員賞与を支給しても、納める保険料が上限率を適用する場合には将来受給する厚生年金の額も相応の額となります。このことを理解して役員賞与の支給額を検討しましょう。

Point

・リスクとデメリットを把握したうえで「事前確定届出給与」を活用しましょう。
・役員賞与を複数回支給する場合には、さらに注意が必要になります。

第5章
ついつい忘れがちな節税策

うっかり見落とすことの多い事項を取り上げています。税理士、社会保険労務士を上手に使うコツも加えました。
節税・節約に効果を発揮します。

81 開業初年度の節税策

予想利益をシミュレーションし、節税策を忘れずに

節税効果 ☺☺☺☺☺
節税難易度 ☹☹☹☹☹

開業して順調に売上が推移すると、初年度から節税策を講じる必要があります。想定していたほど利益がでなかった場合にも、世帯としての税負担を下げる節税策があります。

■開業初年度からできる節税策

・小規模企業共済への加入で掛金を所得控除する（本書「01 小規模企業共済への加入」参照）。
・定率法の選択により初年度の減価償却費を大きくする（本書「15 定率法の選択」参照）。
・所得税の青色申告承認申請書の提出による青色申告特別控除の適用（本書「17 青色申告の特典」参照）
・開業までに発生した費用を開業費として集計し経費化する（本書「33 開業費の償却」参照）
・青色事業専従者給与に関する届出書を提出することで家族への給与を経費化（本書「41 家族への給与」参照）。
・自家用車の事業転用

開業に伴い、もともと所有していた自家用車を事業用として使用する場合、その車の購入額から一定額を控除した金額（納車時から事業転用するまでの減価部分）をその車の耐用年数に応じて減価償却費として経費化することができます。

■開業初年度の所得が低かった場合

・扶養親族の付け替えを検討

所得税は所得が大きくなるほど税率が高くなる累進課税制度が採用されています。開業初年度で先生の所得が少額になった場合において、配偶者に給与所得などの所得があるときは、先生より配偶者の税率のほうが高くなることが考えられます。この場合、開業以前の所得税計算では先生の扶養親族としていた子や両親などを、より税率の高い配偶者の扶養親族として計算したほうが世帯としての税金負担が軽減されます。

翌年以降、先生の所得が配偶者の所得より大きくなれば、その年からは先生の扶養として計算することになります。

・先生の配偶者控除の検討

勤務されているときは、その年の先生の合計所得金額が1,000万円超であれば、配偶者が働かれていない場合や、配偶者の合計所得金額が48万円以下（配偶者特別控除の場合は133万円以下）の場合でも、配偶者控除（配偶者特別控除）を受けることができません。しかし開業初年度において事業所得が赤字になるなど、その年の先生の合計所得金額が1,000万円以下となった場合には、配偶者控除（配偶者特別控除）を受けることができますので、確定申告の際に忘れないようにしてください。

・先生を控除対象配偶者とする

配偶者の合計所得金額が1,000万円以下である場合、先生の開業初年度の合計所得金額が48万円以下になれば、配偶者の所得税計算において先生を控除対象配偶者として配偶者控除（48万円超133万円以下の場合は配偶者特別控除）を受けることができます。配偶者が会社にお勤めで年末調整が終わっていても、確定申告をすることで先生を控除対象配偶者として再度所得税の計算をすることが可能です（上記の扶養親族の付け替えも同様）。

先生の合計所得金額が低くなるときは、配偶者の確定申告も合わせてご検討ください。

Point

開業初年度においても、その年の予想利益のシミュレーションを行ない、どんな節税対策を講じるか検討することが大切です。

82 個人所得の調整

所得によって適用できる制度があります！

節税効果 ☺☺☺☺☺
節税難易度 ☹☹☹☹☹

事業の業績が順調に伸びるにつれて、個人事業主の方であれば事業所得の金額が大きくなっていきます。医療法人の理事長や理事の方であれば業績に応じて理事報酬（給与所得）の金額を上げていくことになるでしょう。

ただし所得が一定額を超えると所得税の基礎控除や住宅ローン控除の適用を受けられなくなるので注意が必要です。

・基礎控除

令和元年分以前は一律38万円の基礎控除がありましたが、令和２年分からは合計所得金額に応じて下記のとおりとなっています。

納税者本人の合計所得金額	控除額
2,400万円以下	48万円
2,400万円超2,450万円以下	32万円
2,450万円超2,500万円以下	16万円
2,500万円超	0円

・住宅ローン控除

住宅ローン控除については合計所得金額が2,000万円を超えるとその年分は受けられません。

令和３年分以前であれば、住宅ローン控除を受けることができる合計所得金額の上限は3,000万円でしたが、令和４年分からは上限が2,000万円になり要件が厳しくなりました。さらに控除率は１％から0.7％へ引き下げられました。

住宅ローン減税等の住宅取得促進策に係る所要の措置(所得税・相続税・贈与税・個人住民税)

住宅ローン減税について、控除率、控除期間等を見直すとともに、環境性能等に応じた借入限度額の上乗せ措置等を講じた上で、適用期限を4年間延長する。

控除率	一律0.7%	<入居年>	2022(R4)年	2023(R5)年	2024(R6)年	2025(R7)年
借入限度額	新築住宅・買取再販	長期優良住宅・低炭素住宅	5,000万円		4,500万円	
		ZEH水準省エネ住宅	4,500万円		3,500万円	
		省エネ基準適合住宅	4,000万円		3,000万円	
		その他の住宅	3,000万円		0円(2023年までに新築の建築確認：2,000万円)	
	既存住宅	長期優良住宅・低炭素住宅 ZEH水準省エネ住宅 省エネ基準適合住宅	3,000万円			
		その他の住宅	2,000万円			
控除期間		新築住宅・買取再販	13年(「その他の住宅」は、2024年以降の入居の場合、10年)			
		既存住宅	10年			
所得要件			2,000万円			
床面積要件			50㎡(新築の場合、2023年までに建築確認：40㎡(所得要件：1,000万円))			

※既存住宅の築年数要件(耐火住宅25年以内、非耐火住宅20年以内)については、「昭和57年以降に建築された住宅」(新耐震基準適合住宅)に緩和。

➢ 住宅取得等資金に係る贈与税非課税措置は、非課税限度額を良質な住宅は1,000万円、その他の住宅は500万円とした上で、適用期限を2年間延長。
 * 良質な住宅とは、一定の耐震性能・省エネ性能・バリアフリー性能のいずれかを有する住宅。
 * 既存住宅の築年数要件については、住宅ローン減税と同様に緩和。

➢ 認定住宅に係る投資型減税は、対象にZEH水準省エネ住宅を追加した上で、2年間延長。

(出典：令和４年度 国土交通省税制改正概要　国土交通省)

これらの控除を受ける場合には、個人事業主の方であれば事業所得の金額がいくらになりそうか、医療法人の役員の方であれば役員報酬の金額をいくらに設定するかがポイントになってきます。基礎控除・住宅ローン控除ともにその年分の合計所得金額で受けられるかどうかが決まりますから、事業所得や給与所得だけでなくそれ以外の所得と合算して検討する必要があります。

Point

事前の対策と調整により、さまざまな税務上のメリットを享受できる可能性が生まれます。早めの対策をおすすめします。

83 不動産投資で節税

不動産投資の赤字を、本業の利益と通算する

節税効果 ☺☺☺☺☺
節税難易度 ☹☹☹☹☹

不動産投資をされている先生も少なくないでしょう。これも節税につながります。

節税の仕組みはいたってシンプルです。ケース別に示します。

【ケース1】診療所・病院経営
事業所得（診療所・病院経営・他の医療機関等からの給与）
＋△不動産所得（赤字）

【ケース2】医療法人経営
給与所得（医療法人理事給与・他の医療機関等からの給与）
＋△不動産所得（赤字）

【ケース3】病院勤務
給与所得（医療機関等からの給与・他の医療機関等からの給与）
＋△不動産所得（赤字）

以上、どのケースでも本業の所得から副業である不動産所得のマイナスを差し引き（損益通算）します。いかがですか。こんなに簡単なのです。

損益通算とは、「事業所得（診療所・病院経営）」「不動産所得（不動産投資による所得）」「譲渡所得（※1）」「山林所得（※2）」が赤字である場合には、ほかの所得から控除できるというものです。

※1 株式の譲渡損失や土地・建物の譲渡損失（一部例外を除く）は損益通算できません。
※2 山林を伐採して譲渡したり、立木のままで譲渡することによって生じる所得です。

では、不動産所得はどう計算すればいいかです。例を示します。

【例】分譲マンションを3000万円で購入

家賃収入…………10万円（月額）×12か月＝120万円

経　　費

減価償却費　60万円

借入金利息　90万円

管理費　　　10万円

その他経費　20万円

経費合計………………………………………………180万円

収入120万円　－　経費180万円　＝　赤字△60万円

このケースでは収支はゼロとなりますが、減価償却費を計上できるので不動産所得がマイナスになります。すると……。

- 診療所経営による課税所得が2,000万円の先生の節税額は、所得税24万円＋住民税6万円となります。
- 勤務医給与による課税所得が1,000万円の先生の節税額は、所得税約20万円＋住民税6万円となります。

先生方の所得は高いケースが多いため、不動産所得の赤字額のおよそ30％～50％もの節税効果が生まれることになります。

将来の不動産価値が読みにくい時代ですが、このような節税も考慮して考えれば、いまは比較的安い金額で不動産を購入できるチャンスといえるかもしれません。

Point

この対策のポイントは、不動産所得が減価償却等で赤字であることです。

84 複数機関からの給与

還付されることもあるので、確定申告を忘れずに

節税効果 ☺☺☺☺☺
節税難易度 ☹☹☹☹☹

複数の医療機関から給与をもらっておられる、勤務医の先生や医療法人として開業されている先生にはとくに重要な項目です。

主に勤務している医療機関からの給与（年収2,000万円を超える場合を除く）については年末調整されますが、ほかの給与収入については所得税が源泉徴収されたままで年末調整されませんから、確定申告での精算が必要になります。

■確定申告をしなければならない先生

①病院等からの給与等が2,000万円を超える方です。
勤務医の先生や医療法人の先生はもともと給料が高いので、確定申告が必要となるケースが多いのです。

②病院等からの給与等が2,000万円以下の方でも、「主な給与以外の給与収入＋給与所得と退職所得以外の所得の合計額が20万円超」の先生は確定申告が必要となります。

主な勤務先以外の医療機関からのその年分の給与等の支払金額が50万円を超える場合は、医療機関や団体から源泉徴収票を所轄税務署に提出することになっています。そのため、忘れた頃に税務署から問合せがあるかも知れませんので、確定申告をお忘れなく。

所得控除（※1）や勤務状況によっては、確定申告で還付になるケースもあります。

※1 医療費控除や雑損控除、寄付金控除や生計を一にする配偶者や その他の親族の負担すべき社会保険料を支払った場合の社会保険料控除なども利用できます。

Point

申告をしていないと、忘れたころに税務署や市役所などから問い合わせがきます。

85 雑損控除

自然災害や盗難による損害があったら雑損控除を

節税効果 ☺☺○○○
節税難易度 ☹○○○○

忘れがちな節税策の1つに、雑損控除があります。雑損控除とは、自然災害や盗難によって住宅や家財に損害があったときに、所得控除されるものです。

●対象となる損害

① 地震・風水害・冷害・雪害・落雷等の自然現象による災害
② 火災、火薬類の爆発などの人為的な災害
③ シロアリ等の害虫による災害
④ 盗難・横領による災害（詐欺や恐喝等による被害は、対象外）

●対象になる資産

生活に通常必要な資産が対象となります。主に居住用家屋や家財、その他生活の用に供している動産で一定のものとされています。

配偶者控除や扶養控除の対象となっている親族が所有する資産であっても、ご自身の雑損控除の適用を受けることができます。

●対象とならない資産

① 棚卸資産
② 事業用の固定資産・山林
③ 生活に通常必要でない資産
別荘や競走馬など、趣味や娯楽のために保有している動産や不動産、1個または1組当たりの価格が30万円を超える貴金属や書画・骨董品は、対象になりません。

配偶者の100万円の指輪や先生の1組50万円のゴルフセットも対象外です。

普段、通勤や買い物に使っているクルマは対象になる可能性がありますが、趣味で購入した高級車は対象外です。

●**控除額**

① 損害金額 ＋ 災害関連支出額
　　　－ 保険金等で補填される金額 － 総所得金額等の10％

② 災害関連支出金額－保険金等で補填される金額－５万円

①または②のいずれか多いほうの金額です。

災害関連支出とは、災害により滅失した住宅、家財を除去するための費用や豪雪による家屋の倒壊を防止するための雪おろし費用などが該当します。

●**雑損控除を受けるための手続き**

① 確定申告書に雑損控除に関する事項の記載をする。

② 災害関連支出の金額を証する書類を添付または提示する。

Point

損失を証明する書類をなくさないようにしましょう。
損害保険等の手続きを忘れないようにしましょう。

86 医療費控除

医療費が10万円を超えたら、お医者さんも医療費控除を

節税効果 ☺☺☺☺☺
節税難易度 ☹☹☹☹☹

ご本人や生計を一にする配偶者やその他の親族のために支払った医療費があるときは、つぎの算式で計算した金額を医療費控除として所得から差し引くことができます。

■医療費控除の計算方法

その年中に支払った医療費－保険金等で補てんされる金額－10万円または総所得金額等の５％のどちらか少ない金額＝医療費控除額（最高200万円）

① 1月1日から12月31日までに実際に支払った金額に限って控除の対象となりますので、治療が終わっても支払いがすんでいなければ対象になりません。
② 保険金等で補てんされる金額とは、健康保険などから支払いを受ける療養費、出産育児一時金、医療費の補てんを目的として 支払いを受ける損害賠償金や生命保険契約などの医療保険金、入院給付金などです。

※補てんされる金額は、その給付の目的の医療費を限度とするので、ほかの医療費からは差し引かなくてもかまいません。

■対象となる医療費、ならない医療費

対象となる医療費は、症状に応じて一般的に支出される水準を著しく超えない部分の金額とされています。

① 医師・歯科医師による診療や治療の対価
② 治療費または療養に必要な医薬品の購入の対価
③ 病院、診療所、介護老人保健施設等へ収容されるための人的役務提供の対価
④ あん摩・マッサージ・指圧師、はり師、きゅう師、柔道整復師などによる施術の対価
⑤ 助産師による分娩介助の対価
⑥ 保健師や看護師、准看護師等による療養上の世話の対価
⑦ 介護保険制度のもとで提供された一定の施設・居宅サービスの自己負担額
⑧ 通院費、医師の送迎費、医療用器具等の購入費用で医師等による診療、治療等に直接必要なもの
⑨ 骨髄移植推進財団に支払う骨髄移植の斡旋にかかる患者負担金
⑩ 日本臓器移植ネットワークに支払う臓器移植の斡旋にかかる患者負担金
⑪ 特定保健指導のうち一定の基準に該当する者が支払う自己負担金

さて、普段、診断書や処方箋、そして治療にかかる領収書を出される側のお医者さん！

どういうものが医療費控除の対象になるかご存じですか？

右ページのリストをご確認ください。

【対象になるもの】

○ 病院などへの通院費
○ 健康診断の結果、重大な疾病が発見されかつ引き続き治療を受ける場合の健康診断費用
○ 医師が発行した「おむつ使用証明書」がある場合のおむつ代
○ 風邪をひいた場合の風邪薬代
○ 治療のためのあん摩、マッサージ代
○ 家政婦さんに支払う付き添い費用
○ 歯の矯正費用（必要と認められる場合）
○ 治療上必要な差額ベット代
○ 医師の指導による禁煙治療
○ 出産にかかる検査から分娩までに医師や病院に支払う費用（健康診断を含む）
○ レーシック手術

【対象にならないもの】

× 自家用車で通院する場合のガソリン代
× 健康診断費用
× おむつ代
× ビタミン剤等の病気予防の医薬品代
× 疲れを癒したり、体調を整えるといった治療に直接関係のないもの
× 家族や親族に支払う付き添い費用
× 見た目をよくする目的の歯の矯正
× 本人や家族の都合による差額ベット代
× 予防接種費用
× 里帰り費用、妊娠判定薬、入院のための身の回り品購入費

※通院費用は医療費控除の対象になりますが、領収書のないものが多いと思いますのでメモを取るなどして記録し、実際にかかった費用について説明できるようにしておきましょう。
※医師や看護師さんに対するお礼は診療などの対価ではありませんので控除の対象になりません。

■セルフメディケーション税制

セルフメディケーション税制は、医療費控除の特例制度です。平成29年1月1日から令和8年12月31日までのあいだに、本人および生計を一にする配偶者やその他の親族のために支払った特定一般用医薬品等購入費の合計額（保険金などで補填される部分は除く）から12,000円を差し引いた金額（最高で88,000円）を、所得から差し引くことができるというものです。

ただし適用されるのは医療費控除かセルフメディケーション税制のいずれかで、セルフメディケーション税制を選択した場合は、通常の医療費控除の適用を受けることはできません。

1．控除を受ける要件

適用を受けようとする年の1月1日～12月31日のあいだに健康の保持増進および疾病予防のために以下のいずれかを行なっている人が対象となります。これらを行なっていない場合、控除を受けることはできません。

- 健康保険組合や市区町村国保等が実施する人間ドック、各種健（検）診等
- 市区町村が健康増進事業として行なう生活保護受給者等を対象とする健康診断
- 定期接種、インフルエンザワクチンの予防接種
- 勤務先で実施する定期健康診断
- メタボ検診、特定保健指導
- 市長村が健康増進事業として実施するがん検診

※上記書類については５年間保管が必要になります。

2．特定一般用医薬品等購入費とは

医師によって処方される医薬品（医療用医薬品）から、ドラッ

グストアで購入できるOTC医薬品に転用された医薬品（スイッチOTC医薬品）の購入費をいいます。

セルフメディケーション税制の対象となる商品には、購入の際の領収書等にセルメディケーション税制の対象商品である旨が表示されています。

スイッチOTC医薬品の具体的な品目は、厚生労働省のホームページに掲載の「対象品目一覧」でご確認ください。

※上記書類については５年間の保管が必要です。

国 税 薬 局

虎ノ門店 TEL：03 -****-****
東京都千代田区霞が関＊＊＊＊＊

■ 領収書 ■

XXXX年4月1日（土） 12:00

★ゼイムEX	¥1,273
ズツウヤク60	¥760
ハンドソープ	¥298
★カクテイ胃腸薬MN	¥891
小計 4点	¥3,222
合 計	¥3,222
内消費税	¥293
お預り	¥4,000
お 釣 り	¥778

★印はセルフメディケーション税制対象商品です

（国税庁ホームページより）

３．具体的な計算方法

たとえば課税所得500万円の人が対象医薬品を年間30,000円分購入（生計を一にする配偶者その他の親族分も含む）した場合、
30,000円－12,000円＝18,000円≦88,000円　となり、
18,000円が課税所得から控除されます。

・所得税：3,600円（控除額18,000円×所得税率20％＝3,600円）
・住民税：1,800円（控除額18,000円×住民税率10％＝1,800円）

減税合計額：5,400円

４．手続き方法

セルフメディケーション税制の適用に関する事項を記載した確定申告書に、セルフメディケーション税制の明細書（以下の資料）を添付し提出します。

年分　セルフメディケーション税制の明細書

※この控除を受ける方は、通常の医療費控除は受けられません。

住 所　　　　　　　　　　　　　　氏 名

この明細書は、申告書と一緒に提出してください。

1 申告する方の健康の保持増進及び疾病の予防への取組

(1) 取 組 内 容	□健康診査　□予防接種　□定期健康診断 □特定健康診査　□がん検診　□(　　　　)
(2) 発 行 者 名 (保険者、勤務先、市区町村、医療機関名など)	

※取組に要した費用（人間ドックなど）は、控除対象となりません。

2 特定一般用医薬品等購入費の明細

「薬局などの支払先の名称」ごとにまとめて記入することができます。

(1)薬局などの支払先の名称	(2)医薬品の名称	(3)支払った金額	(4)(3)のうち生命保険や社会保険などで補てんされる金額
		円	円
合	計	A	B

3 控除額の計算

支払った金額	(合計)　円	A
保険金などで補てんされる金額		B
差引金額 (A－B)	(マイナスのときは0円)	C
医療費控除額 (C－12,000円)	(最高8万8千円、赤字のときは0円)	D

（申告書第一表の「所得から差し引かれる金額」の医療費控除欄に転記し、「区分」の□に「1」と記入します。）

03.11

（国税庁ホームページより）

Point

その年に支払った医療費が10万円以下で通常の医療費控除の対象にならないような場合であっても、セルフメディケーション税制であれば控除を受けられることがあります。

87 住宅ローン控除

自宅や診療所を新築・購入、リフォームしたときは忘れずに

節税効果 ☺☺☺☺☺
節税難易度 ☹☹☹☹☹

住宅ローン控除、正確には住宅借入金等特別控除とは、居住者が住宅ローン等を利用してマイホームを新築、取得、または増改築等をし、令和7年12月31日までに住んだ場合で、一定の条件に当てはまれば、住宅の性能に応じて計算した金額を各年分の所得税から控除することになるものです。

適用される要件は以下のとおりです（すべてに該当する必要があります）。

■新築・取得の場合

①新築または取得の日から6か月以内に居住して、適用を受ける各年の12月31日まで引き続いて居住していること（忙しいため診療所の近くと家族が住んでいる自宅等など、2つ以上所有する場合には、主として居住の用に利用している住宅に限られます）。

②この特別控除を受ける年分の合計所得金額が2,000万円以下であること。

※医師の方々は所得が高いので要注意。

③新築または取得した住宅の床面積が50平方メートル以上であって、床面積の2分の1以上が自己の居住の用に供するものであること（令和5年以前に建築確認を受けた新築住宅については合計所得金額が1,000万円以下の者に限り、40平方メートル以上でも控除対象）。

※診療所と自宅を併用する場合には工夫しましょう！

④住宅借入金等特別控除の対象となる住宅ローンであること。

⑤居住した年、その前２年・その後３年の計６年間に居住用財産を譲渡した 場合の特例などの適用を受けていないこと。

■増改築等をした場合

①自分が所有し、居住している家屋についての増改築等であること。

②次のいずれかの工事に該当するものであること。

・増築、改築、建築基準法に規定する大規模な修繕または大規模の模様替えの工事
・マンションの場合、その人が区分所有する部分の床、階段または壁の半分以上について行なう一定の修繕・模様替えの工事
・家屋（マンションの場合、その人が区分所有する部分に限ります）のうち居室、調理室、浴室、便所、洗面所、納戸、玄関または廊下の一室の床または壁の全部について行なう修繕・模様替えの工事
・建築基準法施行令の構造強度等に関する規定または地震に対する安全性にかかる基準に適合させるための一定の修繕・模様替えの工事
・一定のバリアフリー改修工事
・一定の省エネ改修工事

③増改築等の日から６か月以内に居住の用に供し、適用を受ける各年の12月31日まで引き続いて居住していること。

④その工事費用の額が100万円を超えており、その2分の1以上

の額が自己の居住用部分の工事費用であること。

⑤この特別控除を受ける年分の合計所得金額が、2,000万円以下であること。

⑥増改築等をした後の住宅の床面積が50平方メートル以上であり、床面積の2分の1以上が自己の居住の用に供するものであること。

⑦増改築等のための一定の借入金（返済期間が10年以上のもの）があること。

⑧居住した年、その前2年・その後3年の計6年間に居住用財産を譲渡した場合の特例などの適用を受けていないこと。

■住宅ローン控除の概要

令和4年度税制改正により、温室効果ガスの排出を全体としてゼロにするカーボンニュートラル実現の観点から、省エネ性能等の高い認定住宅等については優遇措置が設けられました。「認定住宅等」とは認定住宅、ZEH水準省エネ住宅および省エネ基準適合住宅をいい、「認定住宅」とは認定長期優良住宅および認定低炭素住宅をいいます。

※認定長期優良住宅とは耐久性、耐震性、省エネ性能、可変性、更新の容易性等の一定の措置が講じられている住宅で、長期優良住宅建築等計画の認定通知書において認定された住宅です。
※ ZEH水準省エネ住宅のZEHは「ネット・ゼロ・エネルギー・ハウス」の略で、再生可能エネルギーを導入することにより、自然から得られる一次エネルギーの年間の収支をゼロにすることを目指した住宅です。
※令和6年以降は、省エネ基準を満たさなければ住宅ローン控除の適用を受けることができなくなりますのでご注意ください（一定の場合を除く）。
※住宅ローン控除を受ける場合には、必ず納税地（原則として住所地）の所轄税務署に確定申告が必要です。

居住年月	住宅の区分		年末借入残高の限度額	控除率	控除期間
令和４年１月１日から令和５年12月31日まで	新築	一般住宅	3,000万円	0.7%	13年
		認定長期優良住宅・認定低炭素住宅	5,000万円		
		ZEH水準省エネ住宅	4,500万円		
		省エネ基準適合住宅	4,000万円		
	中古	一般住宅	2,000万円		10年
		認定長期優良住宅・認定低炭素住宅	3,000万円		
		ZEH水準省エネ住宅			
		省エネ基準適合住宅			
令和６年１月１日から令和７年12月31日まで	新築	一般住宅※	2,000万円	0.7%	10年
		認定長期優良住宅・認定低炭素住宅	4,500万円		13年
		ZEH水準省エネ住宅	3,500万円		
		省エネ基準適合住宅	3,000万円		
	中古	一般住宅	2,000万円		10年
		認定長期優良住宅・認定低炭素住宅	3,000万円		
		ZEH水準省エネ住宅			
		省エネ基準適合住宅			

※令和５年末までに建築確認を受けた新築住宅に限る（一定の場合を除く）

Point

医院と自宅併用の検討もお忘れなく。
住宅ローン選びも税理士を利用しましょう。

88 勤務医の会社設立

講演料など雑所得があるなら勤務医でも会社をつくれば節税できる

節税効果 ☺☺☺☺☺
節税難易度 ☹☹☹☹☹

勤務医やフリーランスの医師のなかには、病院からの給与所得以外に講演料や原稿料などの収入があり、それを雑所得として確定申告されている方も多数いらっしゃいます。

このような医療サービス以外の収入を対象に、勤務医であっても法人を設立することで節税ができます。法人では医療サービスの提供はできませんが、下記のようなサービスや業務は行なえます。

講演、原稿執筆、セミナーの開催および運営、医療・医業コンサルティング業務、医療関連用品の販売、医療従事者の教育・指導業務、医療訴訟に関する医学的アドバイス業務　等

法人設立後、個人で雑所得としていた契約先と新たに法人で契約を締結し、その後の収入を法人の収入として計上します。

経費に関しては、車両の経費化やガソリン代、通信費など業務に必要なものは、法人で経費計上ができます。また、代表者が医師である必要はありませんから、配偶者や親族を代表者にし、役員報酬による所得分散も可能となります。

ただし、つぎの内容に該当する契約については、個人の給与所得と判断され、法人での収入とすることができません。注意が必要です。

①時間的拘束	就業時間が厳密に管理されている
②報酬の労務対価性	業務の結果に関係なく、時間または日数に応じて支払われる
③事業組織的従属性	指揮監督が病院側にある（就業規則に服し、違反等に対しては懲戒処分等もあるなど）

判断しがたいポイントでもありますので、ご自身で判断せず、法人設立前に税理士に相談するなど専門家の意見を交えて検討されることをおすすめします。

【例】個人契約の収入年間500万円を法人契約へ切り替えた場合
（個人所得税・住民税率は最高税率の55％、法人税率30％と仮定）

①個人の収入とした場合（雑所得）の税額
（収入500万円－経費100万円）×所得・住民税率55％＝220万円
②法人の収入とした場合の税額
（収入500万円－経費400万円）×法人税率30％＝30万円

【経費400万円の内訳】

代表取締役である配偶者の役員報酬　100万円、
自宅の事務所利用の家賃・水道光熱費・電話代　40万円、
車両の減価償却費　100万円、保険料　60万円、
その他経費　100万円

法人税と個人の所得税・住民税の最高税率を比較すると、法人税率のほうが低く、経費に関しても法人のほうが計上しやすいことから、法人の収入としたほうが納税額は結果的に抑えることができます。

なお、法人の設立・運営にかかる主な費用としてはつぎのようなものがあります。

・設立時の登記費用（株式会社：約30万円、合同会社：約15万円）
・毎期の税務申告作成料など

Point

講演や原稿執筆などによる収入がある勤務医にとっては、一考の価値があるでしょう。

89 税理士の活用

医業が得意な税理士を選び、なんでも事前に相談すること

節税効果 ☺☺☺☺☺
節税難易度 ☹☹☹

開業を決めたらなるべく早くに税理士に相談しましょう。なぜなら、本書で述べているように開業準備段階から税金対策は始まるからです。

では、税理士はどうやって選べばよいのでしょうか。

■税理士の選び方

先生方は「医師」と一言でくくられますが、実態は外科医や内科医などに分かれるように、それぞれご専門の分野をおもちです。医師ほど明確ではありませんが、じつは税理士も業種による得意・不得意があります。「税金計算は同じだから、どの税理士でも同じではないのか？」と思われる方もいらっしゃるでしょう。たしかに税金計算は業種業態を問わずほぼ同じですから、どの税理士に頼まれても大きくは異ならないでしょう。しかし、税金計算すなわち申告書の作成はあくまでも清書のようなもので、そこに辿りつくまでの過程が実際には大切なのです。その過程の違いが最終的な納税額の違いになります。

●医業分野に知識と経験がある

ですから、先生方が診察されるのと同じように、相手（医療では患者の年齢性別や体質など、税理士は得意なのが法人か個人かや業種など）をよく認識し、症状（医療では発熱や外傷など、税理士は事業内容や財務状況など）を理解したうえで、適切に処置（医療では治療や投薬など、税理士はアドバイス）を行なわなければ、無駄

な税金を納めたり必要のない支出が発生しかねません。認識と理解を誤れば正しい処置はできないのです。そして、認識と理解は書物や勉強だけでは補えず、経験も必要になります。

では、経験がある税理士はどうやって見つければいいのか、です。

●紹介かセミナーで発掘

われわれ税理士が新規の医師の業務を受託するパターンは大きく2つあります。1つは既存の顧問先の先生からの紹介。もう1つは開業支援セミナー等を主催し、参加いただいた先生からの受託です。なぜこれらが多いのかといえば、どちらも頼む先生からすれば依頼する前に医業に得意な税理士であることが判断できるので、安心して頼めるからだと思います。つまり、裏返せば、この2つから税理士を見つけるのが最もオーソドックスであり、間違いない手段ということになります。

■税理士の活用法

こうして医業に強い税理士を見つければすべて解決かといえば、そうではありません。つぎはその税理士をうまく活用しなければなりません。

とはいえ、むずかしく考える必要はありません。先生がこれから実行しようと思っていること、疑問に思っていることなどすべてを税理士に相談すればよいのです。

●事前に相談する

節税は過程が大切だと述べました。つまり、何かを行なう際には事前に相談していただく必要があります。高額な医療機器の購入を検討されているなら、事前に相談いただければ特別償却の対象となる要件に当てはまるかどうかを判断でき、現状では当てはまらない場合は当てはまるようにアドバイスを行なえます。

たとえば次のような場合です。

【例】A医療機器を購入し、付属品を合わせて520万円支払った

A医療機器	500万円
付属消耗品	50万円
値引き	△30万円
合　計	520万円

この場合、本体価格は500万円ですから、医療機器の特別償却が適用できるかというと結論は「不可」となります。なぜならこの場合の値引きは機器と消耗品の両方に対応するものと考えられるので、結果として値引きのうち27万円（30万円×500万円／550万円）が本体価格から差し引かれて473万円となるからです。せっかく値引いてもらったものの、そのために特別償却ができなくなってしまったのです。

したがって、特別償却を適用するには、値引き対象を明確にしてもらう必要があります。つまり、次のように明細がなっていればよいのです。

A医療機器	500万円
付属消耗品	50万円
消耗品値引き	△30万円
合　計	520万円

こうすれば値引きが消耗品に対するものになりますから、医療機器は500万円であることがわかります。これならば特別償却の対象となります。購入後に相談いただいた場合には、対処することができません。それは先生方が支払われている顧問料を無駄にしたことになります。何とももったいないうえに、われわれも力が発揮できず大変残念な結果になります。

このように事前に相談いただければ、間違いなく適用できるようにアドバイスを行ないます。つまり、「事前に相談する」ことが、税理士の上手な活用法の1つなのです。

相談内容は何でもかまいません。個人のことや家族のことでも、場合によっては事業に関連しないとも限りません。税務は生活に密着していますから、何かアドバイスできることがあるかもしれないのです。事業だけではなくトータルで見てもらうようにするのが税理士を上手に活用することの究極のスタイルとご理解ください。

Point

事前の相談がすべてです。
関係あるなしを判断する前に、話せることはどんどん話しましょう。

90 社会保険労務士の活用

社労士に委託すれば、節約と労働環境整備に効果が

節税効果 ☺☺☺☺☺
節税難易度 ☹☹

社会保険労務士は、国家資格のなかで唯一の、労働・社会保険に関する法律、人事・労務管理の専門家です。主に、①人事労務管理コンサルティング、②労働・社会保険手続きの代行を業務とします。その数は、令和4年3月末日現在、全国で44,203人。社会保険労務士法人の会員には2,405法人が在籍しています。

■社会保険労務士に委託できる業務

近年、労使トラブルが急増しています。職員が労働基準監督署に駆け込み監督署からの立入り調査が入る、労働紛争を起こされ損害賠償を請求されるといったことから、医業に専念したい先生方が本業に専念できず、人事労務問題に悩まされるケースが非常に多くなっています。

トラブルが起こってからでは手遅れです。人事労務の問題を未然に防ぐためにも、人事労務管理のエキスパートである社会保険労務士を、病医院の働きやすい環境づくりや先生方のよき相談役として活用されてはいかがでしょう。

社会保険労務士を活用するために、委託できる業務内容を見てみましょう。

(1) 総務・人事・労務の実務

病医院の総務・人事・労務など管理業務の一部を委託できます。少人数で始められる医院では、管理部門の業務は、先生自らがこなされるか、身内の方が担当される例がほとんどです。しかし、医院

を運営される立場になれば、本業である診療以外に、経営管理などやるべきことがたくさんありますから、総務・人事・管理の業務はどうしても後回しになりがちです。

以下の業務は社会保険労務士に委託することができます。

・職員の入退職時の雇用保険や医師国保（健康保険）・厚生年金の手続き
・労災事故が発生したときの届出
・職員に扶養家族が増えたり減ったりした場合（結婚・出産・離婚・死亡等）の健康保険証の変更手続き
・職員の住所や姓名に変更があったときの雇用保険・医師国保（健康保険）などの変更手続き
・職員の毎月の給与計算や勤怠管理業務
・労働保険料の１年間分の保険料を計算して申告する業務（年度更新業務）４～５月
・年１回、職員個別の社会保険の報酬月額を申告する業務（算定基礎届）
・健康保険関係の給付（出産育児一時金・傷病手当金・高額療養費等）手続き

なかでも職員の毎月の給与計算や勤怠管理は、出退勤のチェック、年次有給休暇の日数管理、社会保険料・所得税等の計算と煩わしいものですし、さらには法改正などによる社会保険料率変更など、注意と対応が欠かせないことが多々あります。

給与計算などは、おいそれと職員に任せるわけにはいかないため、先生自らがされることが多いのですが、計算間違いなどを起こすとのちに問題になります。社会保険労務士にアウトソーシングすることにより法律に則した給与計算を行なうことができます。

(2) 人事労務管理のコンサルティング

必要最低限の手続き業務以外に、人事労務管理に関するコンサルティング業務を委託することにより、先生にとっても、職員にとっても、居心地のいい病医院をつくり上げることができます。

- 労働者名簿および賃金台帳など法定帳簿の調製
- 就業規則の作成、見直し、変更
- 退職金制度の構築
- 人事制度全般にかかる賃金制度設計や評価制度の導入
- 助成金の申請代行
- 高齢者の定年後の継続雇用に関する試算
- 変形労働時間制、裁量労働制などの導入
- 年金事務所、労働基準監督署の調査指導の対応業務
- 採用、面接の相談
- 職員研修、職員教育の実施
- メンタルヘルス対策
- 個人情報の取扱いに関する指導
- 時間外労働、休日労働に関する協定届（36協定）など労使協定の作成・届出

働きやすい医院の体制と環境をつくるには、綿密な計画が必要になります。就業規則や人事制度の導入などは、専門家のアドバイスなくしてはできません。人材確保について、医院に必要な人材の採用のアドバイスをコンサルタントとして行なっている社会保険労務士もおります。

先生によっては、社会保険労務士と契約を結ぶのをためらう方もおられます。しかし、社会保険労務士に労務手続きや給与計算の業務をアウトソーシングしても、総務の業務を行なうスタッフ1人の給与を超えるような報酬を求められることはほとんどありません。

人事労務のコンサルティング報酬が高いと感じられる方もおられますが、給与や退職金の見直しを行なうことで、人件費の節約、社会保険料を抑えることが可能となります。医療法人設立時に健康保険の適用除外を申請し、数十万円の保険料を抑えることができた事例もあります。

また、職場環境を整備することで、スタッフのモチベーションが高まり、1人のスタッフが1.5人分のチカラを発揮するようになることもあります。

人事労務管理の業務は、ヒトに関わる業務であり、非常にむずかしく煩わしいものです。それだけに後回しにされることが多く、トラブルになりやすいのです。医師である先生方が、本業に専念するためにも人事労務管理のエキスパートである社会保険労務士を活用することをおすすめいたします。

社会保険労務士を活用するメリットを整理しておきます。

① 医師としての本業に専念することができる
② 人事・労務管理の相談役となってくれる
③ 法律改正にすばやく対応することができる

Point

人事労務のエキスパートですから、「ヒト」についてのあらゆる問題を投げかけましょう。

第6章

カン違いをなくせば まだまだできる節税策

これも節税につながるの⁉ というものや、
そうだったのか！という解説も。
離婚に伴う税と年金の情報も盛り込みました。

91 修繕費か資本的支出か

修理費用は資産計上？ 修繕費？
修繕費で落とせる経費を見落とさない

節税効果
☺☺☺☺☺
節税難易度
☹☹☹☹☹

病医院の内装や医療機器などの修繕をする場合、資産の購入として、全額「附属設備」や「器具備品」など資産計上されている方も多いかと思います。場合によっては「修繕費」として経費に計上できるものを見落としてしまっている可能性があります。

■修繕費の判定

修繕費になるかどうかの判定は、修繕費、改良費などの名目によって判断するのではなく、その実質によって判定します。

●修繕費

固定資産の修理・改良等のために支出した金額のうち、その固定資産の通常の維持管理のため、または、き損した固定資産につきその原状を回復するために要したと認められる部分の金額は修繕費となります。

〔例〕CT装置の管球取り換え
　　壁紙の張り替えや外壁の塗装のやり直し

●資本的支出（資産に計上）

固定資産の修理、改良等のために支出した金額のうち、その固定資産の価値を高め、またはその耐久性を増すことになると認められる部分については、「資本的支出」となり、減価償却資産の取得価額として、耐用年数に応じて減価償却費として必要経費にしていくことになります。

つぎのような支出が、資本的支出に該当するとして例示されています。

①建物等に物理的に付加した部分にかかる費用

②用途変更のための模様替え等改造または改装に直接要した費用

③機械の部分品を、とくに品質または性能の高いものに取り替えた費用

■判定が困難な場合の処理

1つの修理や改良などの金額のうち、修繕費であるか資本的支出であるかが明らかでない金額がある場合には、下記のとおりに判定していきます。

①修理や改良などのための費用が20万円に満たない、もしくはおおむね3年以内の期間を周期として支出しているときは、全額修繕費として処理できる。

②上記①に該当しない場合であっても、資本的支出と修繕費の区分ができず、つぎのいずれかに該当すれば、修繕費として処理できる。

・その支出金額が60万円未満

・その支出金額がその資産の前期末取得価額のおおむね10％相当額以下

③上記①、②の判断をしても区分ができない場合は、継続適用を条件として、支出額の30％かその資産の前期末取得価額の10％のいずれか少ない金額を修繕費とし、それ以外を資本的支出として処理できる。

資本的支出と修繕費の区分等の基準（フローチャート）

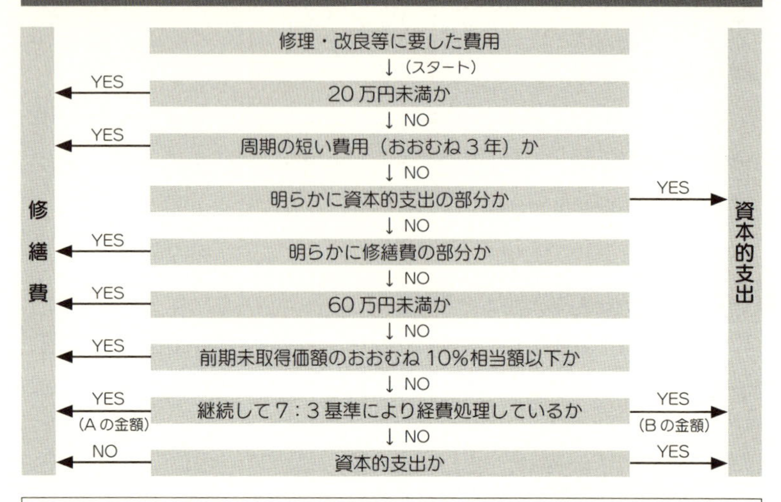

A=「支出金額×30%」と「前年末取得価額×10%」との少ない金額　B=支出金額－A

Point

簡単に固定資産として計上しない。
修理等のための支出か、資産の価値増加をもたらす支出かについて判定し、修繕費で計上できるものを検討する。
業者からの請求書の記載を、わかりやすく修繕費と区分して作成してもらう。

92 経費になる税金

経費になる税金と、ならない税金がある

節税効果 ☺☺☺☺☺
節税難易度 ☹☹☹☹☹

税金には、所得税、法人税、住民税、消費税、固定資産税、自動車税、軽自動車税などたくさんの種類があります。そのなかには支払って経費になるものもあれば経費にならないものもあります。

【経費と認められるもの】

・消費税
・固定資産税
・自動車税・軽自動車税等
・事業税　等

【経費と認められないもの】

・所得税
・法人税
・都道府県民税・市町村民税

経費と認められないものは支払額がどれだけ高額であっても経費と認められることはないので、税金の計算上まったく関係ありません。

それでも医療法人の場合には法人税等などの科目で損益計算書に記載がされるので、その分だけ見かけの利益は減少してしまいます。

これは会計上と税務上の取扱いの違いにより生じるものです。この関係性を理解しておかなければ、「損益計算書を見れば赤字だから税金を払わなくても大丈夫」と思っていたのに、実際は税金を納めなければならなかったという事態に陥る可能性があります。

もう1つ経費にならないのは、各税目で過少および無申告加算税、またはそれについての隠蔽や仮装経理などがあった場合に課される重加算税等です。これらは、支払っても経費とは認められません。

要するに、違反や違法行為に課する罰金は費用には認めませんよということです。罰金で納税額が減るというのはおかしなことですから。

Point

会計上と税務上の取扱いは異なります。

93 必要経費の区分

落ちる領収書、落ちない領収書
事業との関連性を明らかにしておく

節税効果 ☺☺☺☺☺
節税難易度 ☹☹☹☹☹

　医療機関を運営していくにはさまざまな経費がかかりますが、どこまでが経費として認められるのでしょうか。

■どこまでが経費になるの？

　個人事業主であることを前提とした場合、必要経費は所得税法37条につぎのように規定されています。

> 「その年分の不動産所得の金額、事業所得の金額又は雑所得の金額の計算上必要経費に算入すべき金額は、別段の定めがあるものを除き、これらの所得の総収入金額に係る売上原価その他当該総収入金額を得るため直接に要した費用の額及びその年における販売費、一般管理費その他これらの所得を生ずべき業務について生じた費用（償却費以外の費用でその年において債務の確定しないものを除く）の額とする」

　要するに、病院・診療所の事業所得の計算上、収入を得るために「直接要した費用」が必要経費として認められるということです。

　ポイントは「直接要した費用かどうか」ですが、国税不服審判所の裁決（平成25年7月9日）では、「所得税法は、明確に事業上の経費と言えないものは、原則として必要経費としないこととしている」とされています。これは逆に解せば、「業務の遂行上必要な部分が明確に区分されていれば、その部分は必要経費として認められる」ということになります。

■税務調査での注意点

たとえば飲食代の領収書を必要経費として申告したとします。その後税務調査があった場合、税務署員はつぎのようなことを調べます。

①その領収書の支払が本当にあったか

②業務と関連性がある費用かどうか

③その金額が過度に高額ではないか

ここでいちばんのポイントになるのは、②の「業務との関連性」です。

領収書に示されている支出金額と業務との関連性を問われたとき、明確に説明できるようにしておく必要があります。

税務調査は支出があったときから数年後に実施されると想定されますから、「誰と」「何の目的で」支出したのか、メモに残しておくとよいでしょう。業務との関連性の立証責任は最終的には税務署側にあるのですが、まずは納税者が説明責任を果たすことが前提になるからです。

■家事費、家事関連費とは？

個人事業の場合は、「必要経費」と「家事費」「家事関連費」との区別がポイントとなります。

「家事費」とは「家族生活のための支出であり個人で支出すべき生活費」ですから、必要経費にはなりません（所得税法45条1項1号）。「家事関連費」は、「家族生活のための支出」の性格と、「事業場の必要経費」の性格を併せもつもので、これも原則として必要経費にはなりません（所得税法施行令96条）。

ただし、主たる部分が業務の遂行上必要であり、かつ、必要部分を明らかに区分できる場合には、必要経費として認められます。要するにプライベートと業務の両方の性格を併せもつ経費については、業務に必要な部分を合理的な方法で区分すれば、その部分は必要経費にできるということです。

家事関連費の例としては、自宅兼診療所の水道光熱費や家賃等が挙げられます。区分の方法としては、業務使用部分の面積按分等が合理的と考えられます。

家事費と家事関連費の内容・取扱い

	内容	取扱い
家事費	生活費、娯楽費、医療費、生命保険料、自宅のみにかかる電気代、ガス代、水道代、修理代、固定資産税、損害保険料等	必要経費にならない
家事関連費	自宅兼診療所の電気代、ガス代、水道代、固定資産税、損害保険等、プライベートと業務の両方で使用している車両代等	業務の遂行に必要であり、必要部分を明らかに区分できる場合は、その部分が必要経費になる

Point

経費について、「業務との関連性」を説明できるようにしておきましょう。
「家事関連費」に該当するものを洗い出してみましょう。

94 高級車の償却費

実際に事業で使用しており、それを立証できれば必要経費として認められる

節税効果
☺☺☺☺☺
節税難易度
☹☹☹☹☹

法人税や所得税の課税対象となる所得は、診療によって得た診療収入等（売上）から、事業を営むうえで必要な経費を差し引くことによって計算します。

その経費として思い浮かぶのは、薬品原価、スタッフの給与、店舗の水道光熱費、家賃といったものでしょうが、では、高級車の減価償却費は経費として認められるのでしょうか。

営業をするにも、通勤するにも、とくに高級車ではなくても支障はありませんから、事業を営むうえで必要はないものとも考えられます。

けれど、過去の国税不服審判所の裁決では、いったん税務署からは「個人的趣味により取得したもの」として経費と認められなかった高級車の減価償却費が、最終的には経費に算入されると判断された事例があります。

■2,700万円のフェラーリが経費として認められた!?

●裁決事例の前提

①法人名義でフェラーリを2,700万円で購入

②このフェラーリを代表者の通勤、業務上の交通手段として利用している

③車両の検査記録により、取得後、3年間の走行距離は7,598㎞である

④出張旅費規程により、社用車による日帰り出張の場合は旅費を支給しないこととしている

⑤旅費精算書により、遠方に出張した際も、通行料、宿泊料、日当は支給されているが交通費は支給されていない
⑥このフェラーリのほか、代表取締役は３台の外国製車両を個人所有している

この事例では、

・②〜⑤より、実際に事業の用に供していることが認められること
・⑥より、個人利用と法人利用の境界が明確であること

これが経費として認められる根拠となったようです。

■経費として認められなければ、個人への賞与とみなされる可能性も

一般的には事業を営むうえで必要のないと思える経費でも、実際に事業で使っており、それを客観的に立証することができれば経費として認められるのです。

ただし、法人で経費と認められない場合は、個人に対する賞与とみなされる可能性があります。すると個人にも所得税の税負担が発生する恐れもありますから、リスクを考慮したうえで検討する必要があります。

Point

高級車を事業で使用していることを立証できるようにしましょう。

95 決算書の見方

経営するには、決算書の理解が不可欠です

節税効果
☺☺☺☺☺

節税難易度
☹☹☹☹☹

みなさん、毎年決算をされていると思いますが、決算報告書や収支内訳書をじっくりと見られたことはあるでしょうか？

筆者の経験上では、ほとんど見ないという方が結構いらっしゃいます。

最終的に支払う税金が決まり、申告が終わると、もうそのあとの決算書には興味がなくなってしまうのも当然と言えば当然です。

しかし、しっかりと決算書を見てみると、無駄遣いや見えなかったものに気づくことがあります。

日頃見慣れていないと一見むずかしく感じるかもしれませんが、ものすごく簡単なのです。なぜなら、2つの指標が表示されているだけですから。

その2つとは、「貸借対照表」と「損益計算書」です。

よくB/S (Balance Sheet)・P/L (Profit and Loss Statement) と呼ばれますが、簡単にいうとB/Sはその法人および個人の財産を表わし、P/Lは利益や損失を表わしています。

この2つの指標を見れば、あなたの事業の状態は丸裸です。

右ページの表をご覧ください。

■貸借対照表 (Balance Sheet)

貸借対照表は財産を表わすものだと言いましたが、具体的には一定時点において病医院が有している資産と負債および純資産の残高を表わしています。ですから、1回診察を行ない診療報酬をもらう

（単位：千円）

資産の部		負債の部	
流動資産	60,000	流動負債	35,000
固定資産	100,000	固定負債	70,000
繰延資産	1,500	**純資本の部**	
		期末元入金	56,500
資産合計	**161,500**	**負債・純資産合計**	**161,500**

資産と負債・純資産合計は必ず一致

とその分現金が増えるので貸借対照表の金額は変わってしまいます。

流動と固定に分かれているのは、簡単に言うとその有している資産の資金化のしやすさを表わしています。厳密には正常営業循環基準やワンイヤールールなどがありますが、そこまで把握される必要はありません。要は、流動資産はお金にかわりやすいもので、固定資産はお金にかわりにくいもの。そうご理解ください。

資産がたくさんあるからと油断していても、貸借対照表を見れば固定資産が大半を占めていて、実際には資金繰りが厳しいということがあるので注意しましょう。

つぎに、表の左に資産、右に負債・純資産が表記され、下の合計額が左右同額になっていますが、これは必ず一致します。

つまり、資産から負債を引いた金額が純資産となります。

この部分が、病医院が保有する正味の財産になります。これまで貸借対照表を見ていなかったなら、ご自身の病医院にどれぐらいの純資産があるか見てみましょう。

Point

これで病医院の実際の価値がわかる。
「資産－負債＝純資産」

■損益計算書（Profit and Loss Statement）

損益計算書は病医院の一定期間の収益および費用の状態を表わす指標です。

この指標はクリニック経営に非常に役立ちます。

（1）医業収益

まず、診療報酬や自費等の収入が計上されています。

どういった診察を行なっているかの内訳を把握することで、自院の患者さんの傾向などが見えてきます。さらにレセプトを用いて枚数の管理や延べ患者数、1人1回当たりの点数を毎月見ていくことで、病医院の現状がつかめます。

たとえば、レセプトの枚数は変わらないものの、薬品の長期投与等で1か月間の延べ患者数が減っているという病医院もあるようです。こういう実態をつかんで対応を講じることが収益の向上につながります。

（2）医業原価

薬品の仕入です。

薬品の医業収益に占める割合を把握しましょう。

高いと思われる場合は、在庫のロスがないか、仕入金額が高くないかなど、見直しをしましょう。

過去にあったケースですが、A医院とB医院は同じ薬品を仕入れていました。仕入量はA医院のほうがかなり多い。ところが仕入値はB医院のほうが安かったのです。価格交渉をきちんとしたり、相見積りを取って仕入先を判断することはとても大切です。薬価差益がどんどんなくなってきている昨今では、薬は院外に出し、その分、人や管理コストを削減するということも検討してみてはいかがでしょうか。

(3) 医業総利益

(1) − (2) の金額です。

この部分から給料や家賃等の固定費を支払います。

(4) 医業費用

病医院を運営していくうえでかかるさまざまな費用です。

何にいくら支払っているのかをしっかり把握することで節税や節約ができます。

人件費が経営を圧迫していないか、地価が下がってきているのに家賃が高すぎないか、医療法人だけど保険にあまり入ってない、広告費をあまり使っていないけれど利益が出ているからもっと広告を出そう……さまざまなことを検討する材料になります。

(5) 医業利益・経常利益

医業利益が、病医院を経営していくうえで根幹となる部分です。ここがマイナスであれば経営改善が必要です。

(6) 医業外収益・費用

直接本業とは関係ない利息などです。利息の負担額が多いようであれば借入の早期返済を計画してみてもよいのではないでしょうか。

損益計算書を見れば、利益がどれだけ出ている、こんなところにこれだけの費用がかかっている、といったさまざまなことがわかります。一度じっくり見てみてください。

Point

まず損益計算書の見方をしっかり理解し、ムダや改善点をつかみましょう。

96 社会保険料控除

家族の社会保険料も、支払った人の所得から全額控除できる

節税効果
☺☺☺☺☺

節税難易度
☹☹☹☹☹

まず、社会保険料控除とは何かを確認しておきましょう。

健康保険、国民年金、厚生年金保険、介護保険料や国民年金基金・厚生年金基金の加入員として負担する掛金等の支払額を、確定申告の際に所得から控除することができる制度。これが社会保険料控除です。

社会保険料は、給与から天引きもしくはご自身で納めていらっしゃるはずです。この社会保険料で上手に節税する方法があります。

ものすごく簡単にできるのですが、残念ながらすべての人が使えるというものではありません。 以下の2つの条件を、両方とも満たしていることが必要です。

①自分以外の生計を一にする配偶者やその他の親族に所得がある場合
②給与から直接社会保険料が控除されていない場合

社会保険料控除の規定は、以下のようになっています。

「納税者が自己又は自己と生計を一にする配偶者やその他の親族の負担すべき社会保険料を支払った場合又は給与から控除される場合などに受けられる所得控除です。控除できる金額は、その年に実際に支払った金額又は給与や公的年金から差し引かれた金額の全額です」

要するに……。

・親族の社会保険料であっても、自分の社会保険料であっても、

支払った者の所得から控除することができる（他人の社会保険料を支払っても控除にはならない）。

・たとえ過去分であっても、その年に支払った金額はすべて所得控除の対象となる。

しかも社会保険料は上限がないので、支払った社会保険料は全額控除できます。

生命保険料控除や地震保険料控除も、契約者ではなく支払った人が控除対象者となります。ただし、生命保険の場合は保険金の受取人のすべてが本人または配偶者や親族となっていることが必要です。

iDeCoの掛金については、小規模企業共済等掛金控除の対象となるため、支払った者ではなく、加入者本人の所得から控除となります。

Point

社会保険料の控除は契約者ではなく支払った人の所得から控除できます。
支払った年に控除ができるので過去の社会保険料でも控除可能です。
社会保険料は制限なく支払額の全額を控除できます。

97 節税について理解しよう

脱税は、結局高くつく!!

節税効果
☺☺☺☺☺
節税難易度
☹☹☹☹☹

みなさんは節税ということを、どう理解されていますか？

節税というのは、あくまでも合法であり、制度を有効に活用して納税額を少なくする方法です。節税であれば、どれだけ行なっても税務署からお咎めを受けることはありません。

見つからなければいい、見つからないように上手に操作するのが節税だと思っている方もいらっしゃるかもしれませんが、それはまったくの誤解です。それは脱税です。

脱税行為はやってはならないことですから、最悪の場合は刑事罰に問われることもあります。刑事罰に問われるまでには至らなくても、余分に税金を払うことになってしまいます。

そのほか、確定申告期限までに申告をしなかった場合や、確定申告の期限までに申告は行なったものの税金の納付が期限後になってしまった場合にも、罰金的な意味合いの税金を払わなければなりません。

しかも、これら一連の行為で発生する税金は、費用にはなりません。では、税務署から課せられる税金にはどのようなものがあるのか、確認しておきましょう。

■延滞税

右ページの計算図をご覧ください。

延滞税の計算方法

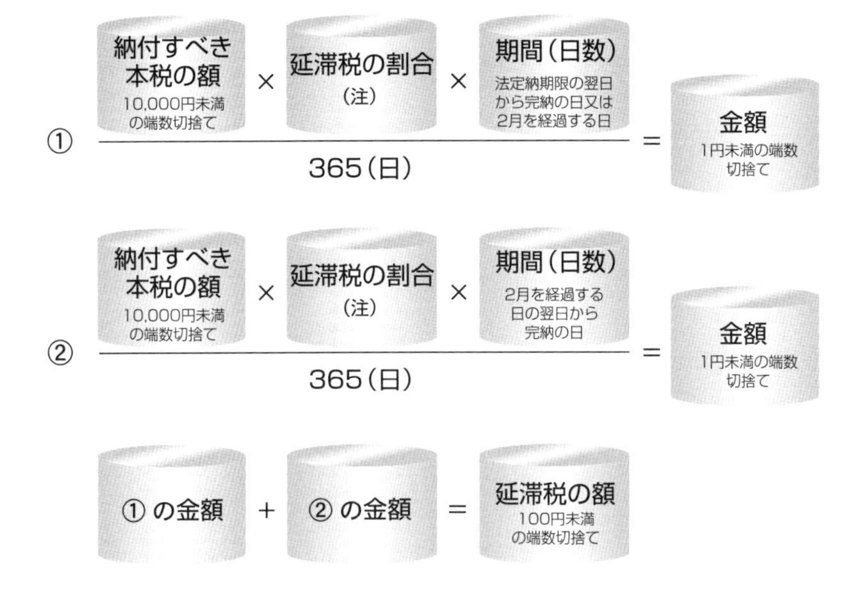

(注) について

〔令和3年1月1日以降〕

①納期限までの期間および納期限の翌日から2月を経過する日までの期間については、年「7.3%」と「延滞税特例基準割合+1%」のいずれか低い割合を適用することとなり、次ページ表A①の割合が適用されます。

②納期限の翌日から2月を経過する日の翌日以後については、年「14.6%」と「延滞税特例基準割合+7.3%」のいずれか低い割合を適用することとなり、次ページ表A②の割合が適用されます。

なお、「延滞税特例基準割合」とは、各年の前々年の9月から前年8月までの各月における銀行の新規の短期貸出約定平均金利の合計を12で除して得た割合として各年の前年の11月30日までに財務大臣が告示する割合に、年1%の割合を加算した割合をいいます。

表A 期間	割合	
	①	②
令和3年1月1日～令和3年12月31日	2.5%	8.8%
令和4年1月1日～令和4年12月31日	2.4%	8.7%

〔平成26年1月1日から令和2年12月31日までの期間〕

①納期限までの期間および納期限の翌日から２月を経過する日までの期間については、年「7.3％」と「特例基準割合＋１％」のいずれか低い割合を適用することとなり、表B①の割合が適用されます。

②納期限の翌日から２月を経過する日の翌日以後については、年「14.6％」と「特例基準割合＋7.3％」のいずれか低い割合を適用することとなり、表B②の割合が適用されます。

なお、「特例基準割合」とは、各年の前々年の10月から前年９月までの各月における銀行の新規の短期貸出約定平均金利の合計を12で除して得た割合として各年の前年の12月15日までに財務大臣が告知する割合に、年１％の割合を加算した割合をいいます。

表B 期間	割合	
	①	②
平成26年1月1日～平成26年12月31日	2.9%	9.2%
平成27年1月1日～平成27年12月31日	2.8%	9.1%
平成28年1月1日～平成28年12月31日	2.8%	9.1%
平成29年1月1日～平成29年12月31日	2.7%	9.0%
平成30年1月1日～平成30年12月31日	2.6%	8.9%
平成31年1月1日～令和元年12月31日	2.6%	8.9%
令和２年1月1日～令和２年12月31日	2.6%	8.9%

■過少申告加算税

税務署の調査を受けたあとで修正申告をしたり、税務署から申告税額の更正を受けたりして、新たに納める税金のほかに課される税金です。

(追加納付税額×10%)+(追加納付税額−期限内納付税額と50万円のいずれか多い金額を超える金額)×5%

■無申告加算税

名称のとおり申告をしなかった場合に課されます。

この場合には50万円までは15%、50万円を超える部分については20%が課せられます。

ただし、自主的に期限後に申告をした場合には5%に軽減されます。

■重加算税

事実の全部または一部の隠蔽を行なったり、仮装経理や二重帳簿を作成した場合など悪質な場合に課されます。意図的に脱税をした場合などはこの税金が課せられます。

隠蔽や仮装経理に該当する部分×35%(無申告の場合は40%)

脱税等だけでなく、ルールを守らなければさまざまなペナルティーが課せられるということです。見ていただければわかるとおり、びっくりするぐらいの税金を支払わなければならなくなってしまいます。

新聞やテレビ等でもたまに脱税で検挙されている報道をご覧になると思います。気づかれないと高をくくっていてはいけません。

節税はどれだけ時間をかけてもやるべきだとは思いますが、脱税をしても結局は割に合わないのです。

Point

脱税は、結局は「割に合わない」ことになります。

98 棚卸資産

医療消耗品費は、すぐには経費にならない

節税効果
☺☺☺☺☺

節税難易度
☹☹☹☹☹

薬品や包帯、注射器等などは、安く購入できるときにまとめ買いされることもあるでしょう。

あるいは決算対策として、「今期は医業収入が大きそうだから、利益を圧縮するために最終月に大量に薬品を仕入れておこう！」などと思いつかれる方もいらっしゃるかもしれません。

けれど、その仕入金額すべてが原価として計上できるわけではありません。

もちろん、その年に仕入れた薬品等がすべて使用されていれば、その仕入金額がそのまま医業原価となります。しかし通常は仕入れた薬品等の一部は残ってしまうものですし、決算月に大量購入すればほとんどが残ってしまうでしょう。

こういった場合、医業原価として計上できる金額は図のように、

「期首棚卸資産高＋当期仕入金額」－期末棚卸資産高

となります。

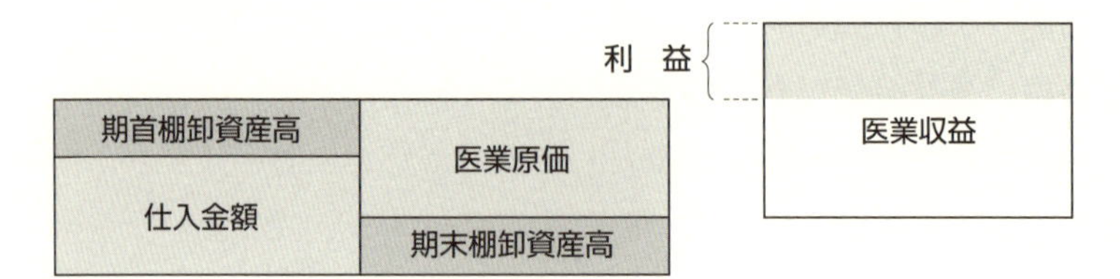

棚卸資産も減価償却資産と同様に、購入した金額が購入した時期にすべて一括で経費になるわけではないことを念頭においておきましょう。

■棚卸しが必要な資産とは？

医業原価を計算するうえで棚卸しを行なうことが必要な資産は、つぎのうち在庫または未使用で貯蔵中のものをいいます。

①医薬品等、診療材料、医療用消耗備品

②事務用消耗品（切手、印紙なども対象となります）

■どうやって在庫の量を調べるの？

期末に、未使用のものを実地に棚卸しをしてその有高を調べます。在庫の中にサンプル医薬品が残っている場合には、その医薬品も棚卸資産に該当します。そのときの単価は、「仕入金額／棚卸資産の数量＋サンプル医薬品の数量」となります。

■棚卸資産の評価方法はどうしたらいいの？

評価方法は以下の７通りがあります。

①個別法　②先入先出法　③総平均法　④移動平均法　⑤売価還元法

⑥最終仕入原価法　⑦低価法（青色申告者のみ）

棚卸資産の評価方法を税務署に届け出ていない場合には、⑥の「最終仕入原価法」によって評価することになります。

評価方法の選択の届出の期限は、個人事業者も法人も、その年または事業年度の確定申告期限までとなっています。

現在行なっている方法を変更する場合は、個人事業者は変更しようとする年の３月15日までに、法人は変更しようとする事業年度の開始日の前日までに、申請書を所轄の税務署長に提出しなければなりません。

Point

期末在庫によって、利益が大きく変わります。

99 医師会費と医師年金

医師会費は経費になるが、医師年金は経費にならない

節税効果 ☺☺☺☺☺
節税難易度 ☹☹☹☹☹

医師のように特別な免許をもつ方は、医師会の入会金や会費をはじめ、さまざまな会費を支払われていることでしょう。そうした費用について、必要経費となるもの、ならないものを区分してみます。

■必要経費になるもの

① 医師会の入会金……繰延資産（5年で償却）

〔例〕入会金100万円を期中の7月に支払った場合

100万円×6か月／（5年×12か月）＝10万円

10万円のみが初年度において必要経費として認められる金額となります。

② 医師会の会費

③ 学校医、医師会運営のための会費や負担金

④ 医学会費

■必要経費にならないもの

医業に直接関係のない会費などは家事費となり、必要経費とはなりません。

①医師国民健康保険料（所得控除の対象となります）

②各種生命保険料（所得控除の対象となります）

③小規模企業共済（所得控除の対象となります）

④医師会年金の掛け金

⑤医学会費のうち家族旅費や観光と認められる部分の金額

※税務上、経費の過大とされないためには、医学会のスケジュールなどの関係書類を整理保存されたほうがいいでしょう。

⑥医師会政治連盟会費(寄付金控除の対象とされる場合もあります)

⑦ロータリークラブ、ライオンズクラブの入会金および会費

※個人事業者の場合は、事業遂行上必要と認められないため経費になりません。法人では、基本的には交際費として経費にできますが、場合によっては寄付金や特定の役員等に対する給与となることもありますから注意が必要です。

⑧ゴルフ会員権の購入費、名義書換料および年会費

※法人名義の場合、購入費および名義書換料は資産計上され、年会費は損金に算入できます。ただし業務と関係がないとされる場合は、役員給与となることもあります。
※ただし、事業遂行上の交際費と認められる場合には、プレー代等は必要経費となります。

Point

- 医師会費……必要経費として認められます。
- 医師年金……貯蓄の性格があるため、必要経費とは認められません。

100 所得補償保険

所得補償保険は経費にならず、受取時も所得にならない

節税効果
☺☺☺☺☺
節税難易度
☹☹☹☹☹

医業経営をされている方は、病気・ケガ等により休業せざるを得なくなった場合に備えて所得補償保険に入っておられるものと思います。

では、実際に事が起こって休業してしまった場合に補償として受け取ることになる保険金は、自分の所得として課税されるのでしょうか？

従業員の所得補償保険も含めると、さまざまな課税パターンがあります。加入形態の課税の取扱いを、契約前によく確認しておきましょう。

※すでに所得補償保険に入っている場合は既存の保険契約を見直し、目的に適しており、かつ、節税できる保険契約への切り替えなどを税理士に判断してもらうのもいいかもしれません。

■掛け金や保険料支払時の処理

●個人事業者の場合

	契約者	被保険者・保険金受取人	必要経費	費目
(1)	個人事業主	使用人の全員	必要経費	福利厚生費
(2)	個人事業主	特定の使用人	必要経費	給与
(3)	個人事業主	事業主本人	×	家事費

(2) の加入形態の場合は、給与として使用人の所得になります。また、事業専従者の場合は必要経費として認められません。

(1) の場合は、(2) と同様の考え方により、使用人の大部分が事業専従者である場合や事業専従者のみの補償を厚くするなど特別

扱いする場合は、必要経費として認められないことがあります。慎重に検討しなければなりません。家族経営の場合、「よし、家族の補償を厚くしよう！」と思う方が多いと思いますが、そう容易には認めてもらえないことに留意しましょう。

(3) の場合ですが、所得税法施行令第30条において、「身体の傷害に基因して支払を受ける損害保険契約及び生命保険契約に係る保険金、損害賠償金等」は非課税であると定められています。ゆえに、非課税となる保険のために支払った保険料は、事業所得の計算上必要経費には当然算入されませんので、ご注意ください。

※支払った保険料には生命保険料控除の対象となるものがあります。

●医療法人の場合

	契約者	被保険者・保険金受取人	必要経費	費目
(4)	法人	役員・従業員の全員	損金	福利厚生費
(5)	法人	従業員の全員	損金	福利厚生費
(6)	法人	役員・特定の従業員	原則損金	給与

(4) および (5) の場合は、福利厚生費として法人の必要経費に算入されます。ただし、特定の者の補償を他の者たちと比べて高く設定している場合には、給与としてその特定の者に所得税が課せられます。

(6) の場合は、はじめから特定の者のみの補償を目的としているため、特定の者の給与となります。役員や特殊関係使用人に該当する場合は、その保険料の金額が大きすぎると、過大報酬かどうかの判断が必要になり、過大報酬と判定された場合には損金に算入することができません。また、役員の場合は定期同額給与の観点から保険料の支払開始時期に気をつける必要があります。

■受取保険金の取扱い

受取保険金の取扱いについては、まず「保険金を直接受け取るのは誰か」という点に着目します。

●被保険者個人が受け取る場合

契約者が個人の場合はもちろん、個人事業者や法人であっても、上記の所得税法施行令第30条のとおり、非課税となります。

※この個人の死亡により遺族が死亡保険金を受け取った場合には、個人事業主または法人が負担した保険料はその個人が負担したものとみなされるため、その死亡保険金は相続税の対象となります。

●個人事業主または法人が受け取る場合

保険金は、個人事業主や法人の収入に算入されます。

なお、その保険金を役員や従業員に見舞金として渡した場合は必要経費とされますが、役員に過大な見舞金を渡した場合は損金に算入されません。

見舞金は、社会通念上の範囲であれば給与として課税されることはありません。

Point

「保険金を直接受け取るのが誰か」によって受け取ったときの課税パターンが異なります。

101 減価償却の開始時期

減価償却資産は、使用開始日から

節税効果 ☺
節税難易度 ☹

大きい買い物をしたときは必要経費として一括計上できない可能性があります。減価償却資産に該当するものは、期中において事業の用に供した場合において、事業供用日から期末までの月数按分で計上することになります。

たとえば個人事業者である先生が、3月25日に30万円のパソコン（定額法：4年　償却率0.25）を購入、4月にセットアップし使用開始した場合、以下のようになります。

【計算式】 300,000×0.25×9月/12月=56,250（定額法の場合）

※4月から12月……9か月間

購入日は3月ですが、4月から計算することになります。購入した日ではなく、実際に使用できる状態になった日から按分することになるのです。

事業の用に供したか否かは、業種・業態、その資産の構成、使用の状況を総合的に勘案して判断することになります。

したがって、医業の用に供する機器については、試運転を開始した日が事業の用に供した日になるでしょう。

Point

大きい支出は一括費用計上できず、使用を開始した日からの期間按分になりますから、使用開始日を把握しておきましょう。

102 寄付金

寄付の相手先によって、税金が変わる⁉

節税効果
☺☺☺☺☺
節税難易度
☹☹☹☹☹

病院を経営していると、地域との密接性が高いので、近隣の子供会や老人会、町内会などに寄付をすることもしばしばあるでしょう。
こうした寄付金の取扱いによっても節税が可能です。

■個人事業者の場合

個人事業者が支払った寄付金の取扱いは、次の３種類に区分できます。

① 必要経費として認められるもの
② 所得控除の対象になるもの
③ いずれにも該当しないもの

まず、①の必要経費になるものとしては、近隣の子供会や老人会等に対する寄付金のように、半ば強制的なもので、寄付をしなければ医院の経営に悪影響が及ぶものが挙げられます。
出身医局に対する寄付金のうち、業務上密接な関係にある医局に対するものも必要経費に算入できます。
密接な関係とは、医局にこちらからの重症患者を受け入れてもらったり、医局から医師等を派遣してもらい業務を手伝ってもらったりする関係を指します。医局と地理的に離れていて、普段業務上の関わりがなければ、必要経費に算入することは認められません。
②の所得控除の対象になるのは、個人が認定NPO法人、特定公益増進法人、国または地方公共団体等に支払った寄付金などです。これらは「特定寄付金」とされ、所得控除の対象になります。なお、

一般のNPO法人に支払った寄付金は対象にはなりません。

控除について具体的に示しましょう。

●所得税の「寄付金の所得控除」

控除を受けるには、確定申告が必要です。

年間所得金額から控除される金額は、「その年に支出した特定寄付金の合計額－2,000円」です。

添付書類としてつぎの2つが必要です。

・寄付先が発行する領収書
・寄付金控除の対象先であることの証明書または認定書の写し

【例】指定対象先に102,000円を寄付する場合の還付金額

控除金額は「102,000円－2,000円＝100,000円」となります。

所得税率が10％の場合、「100,000円×10％＝10,000円」に相当する税額が確定申告により軽減されます。

※私立大学で、業務上のつきあいがない医局に対する寄付金は、大学から財務大臣承認の指定寄付金証明書をもらわなかった場合は①の必要経費に認められませんし、②の所得控除の寄付金にも該当しないことになります。
国公立の大学であっても、都道府県知事が発行したものでなければならず、学長の発行した領収書は対象とならないなどと詳細に規定されていますから、寄付をする前に確認することが重要です。

※政治活動に対する寄付金は、所得控除と政党等寄付金特別税額控除とのどちらが有利かを判定して有利なほうを採用しましょう。
政党等寄付金特別控除とは、個人が平成7年1月1日から令和6年12月31日までに支払った政党または政治資金団体に対する政治活動に関する寄附金で一定のものについて適用されます。

上記に該当する寄付金を支払った場合には、支払った年分の所得控除としての寄附金控除の適用を受けるか、またはつぎの算式で計算した金額（その年分の所得税額の25％相当額を限度とします。）について税額控除の適用を受けるか、いずれか有利な方を選択することができます。

【特別控除額の簡易計算式】

（その年内に支払った政党等に対する寄付金の合計額 − 2,000円）× 30% = 政党等寄付金特別控除額（100円未満の端数切り捨て）

●住民税の税額控除

個人住民税の寄付金にかかる税額軽減措置では、「所得税の寄付金控除の対象となる寄付金のうち、都道府県または市区町村が条例により指定したもの」を対象先として定めています。

「都道府県・市区町村が条例で指定した寄附金」のうち、２千円を超える部分について税額控除されます。税額控除率は、都道府県指定の場合は４％、市区町村指定の場合は６％となります（都道府県と市区町村のどちらからも指定された寄附金の場合は10％です）。

■医療法人の場合

「寄付金」は「交際費」と同様、一部しか損金（税務上の経費）に算入されません。つまり、寄付金は医療法人が会計上必要経費として扱っていても、法人税を計算するうえでは、一定の金額までしか損金として算入されないのです。

●損金不算入の計算式

① ｛（ア）＋（イ）＋（ウ）｝−（ア）

② ①−（イ）または（エ）のどちらか小さい額

③　②－（オ）……損金不算入額

（ア）国または地方公共団体等に対する寄付金
（公共目的の団体等が行なう事業のうち財務大臣が指定するものに対する寄付金を含む）
（イ）認定NPO、特定公益増進法人に対する寄付金
（ウ）神社のお祭りへの寄付金、政治団体への寄付金
（エ）特別損金算入限度額
＝{（期末の資本等の金額×当期の月数/12×3.75/1,000）＋（当期の所得金額×6.25/100）}×1/2
（オ）一般の寄付金の損金算入限度額
（期末資本金等の金額×当期の月数/12×2.5/1,000＋当期の所得金額×2.5/100）×1/4

・**企業版ふるさと納税（「地方創生応援税制」）**

国が認定した地方公共団体の地方創生の取組みに対して寄付金を支払った法人は、次の税額控除を受けることができます。

①法人住民税　寄付金額の４割（法人住民税法人税割額の20％が上限）
②法人事業税　寄付金額の２割（法人事業税の20％が上限）
③法人税　法人住民税で４割に達しない場合、その残額（寄付金の１割・法人税額の５％が上限）

Point

寄付金の種類によって、「必要経費になるもの」「所得控除の対象となるもの」「税額控除の対象となるもの」など取扱いが異なりますので、寄付をする前に確認しましょう！

103 マイカー通勤

院長先生も、通勤手当をもらえば節税に

節税効果
☺☺☺☺☺
節税難易度
☹☹☹☹☹

片道の通勤距離	1カ月当たりの限度額
2 km未満	全額課税
2～10 km未満	¥4,200
10～15 km未満	¥7,100
15～25 km未満	¥12,900
25～35 km未満	¥18,700
35～45 km未満	¥24,400
45 ～55km未満	¥28,000
55km以上	¥31,600

給与に加算して支払う通勤手当は、限度額までなら非課税です。平成28年度の税制改正により、通勤手当の非課税限度額が引き上げられ、電車・バスなど公共交通機関を使う場合、「経済的でもっとも合理的な経路を利用する通勤定期券代」などで月額150,000円までが非課税となりました。自動車や自転車を使っている場合は、右表のとおりです（平成28年改正）。

通勤している医療法人の院長先生は、役員報酬の一部を通勤手当として支給（非課税限度内で）すれば、自身の節税が図れます。

スタッフがマイカー通勤している場合は、その通勤手当をどのようにして算定するかが問題になります。

一般的には、

通勤距離 × 燃費 × ガソリン単価

で算定することが多いのですが、

・片道通勤距離は何を基準に測るのか
・燃費は車種等で大まかに設定するのか車ごとに個別に設定するのか
・ガソリン単価は自己申告によるのか、地場の相場にするか、統計データによるか

といったことをあらかじめ規定しておかなければ、混乱が生じます。事務も煩雑になります。

それ以上に重要なのが、安全管理の問題です。

公共交通機関を使うより、マイカー通勤は事故にあう可能性が高いと思われます。マイカー通勤を許可したからには、事故について、院長先生や病院が責任を負うことになる可能性はゼロではありません。仮にスタッフが通勤用のマイカーを業務で使用し事故を起こしてしまったら、院長先生や病院は間違いなく使用者責任を問われることになります。

ですから、マイカー通勤は基準を設けておいて慎重に許可し、かつ、万が一の場合の責任の所在も事前に明確にしておきましょう。

【マイカー通勤許可基準例】

- 任意保険に加入していること（例：対人無制限、対物1,000万円以上）
- 業務上の緊急の呼び出しが必要な職種あるいは業務であること
- 公共の交通機関が利用できないこと
- 身体上の都合によりマイカー通勤が必要であること
- 点検整備が行き届いた車両であること
- 過去に死傷事故歴および飲酒運転違反のないこと

Point

非課税の通勤手当を利用しましょう。

104 交通反則金

医師もスタッフも、反則金は経費に認められない

節税効果
☺☺☺☺☺
節税難易度
☹☹☹☹☹

2006年6月にいわゆる「改正道路交通法」が施行されて以降ずいぶん年月が経過し、緑色の服を着た民間取締員を路上で目にするのも目新しいことではなくなりました。みなさん、もうすっかり新交通法に慣れておられることでしょう。

それでも忘れたころに科せられるのが「交通反則金」です。ほんのわずかな時間だからとついつい違法駐車をし、高額な罰金を科せられた方もおられるのでは。

そこで、「交通反則金」にまつわる会計と税務について、個人開業医と法人に分けて説明しましょう。

■個人開業医が負担する交通反則金

個人開業医の場合、結論から言うと、いかなる場合でも交通反則金を含む罰金は必要経費とは認められません。

たとえば事務員が仕事の遣いで車で出かけ、駐車場が満車のためやむなく路上駐車したところ駐車違反となり、病院で交通反則金を支払った場合。勤務中に発生した交通反則金ですから、業務に直接関連する支出として認められそうなものですが、交通反則金を含む罰金を必要経費と認めれば、罰金を払うことで、言い換えれば罪を犯すことで負担する税金を軽減することになり、懲罰的意味合いが希薄します。

したがって罰金を必要経費に算入することは認められないのです。

■医療法人が負担する交通反則金

従業員または役員が犯した交通反則金を医療法人が負担した場合、交通反則金が業務上か業務上以外で発生したかによって取扱いが異なります。

●業務上発生した場合

交通反則金が業務遂行上発生した場合には、法人の損金の額には算入されません。

経理上は「租税公課」として処理しますが、税務上では損金に算入しない処理を採るのが一般的です。

●業務上以外で発生した場合

交通反則金が業務上以外で発生し法人が負担した罰金については、以下のように取り扱われます。

・使用人が犯した場合………給与
・役員が犯した場合…………役員賞与

個人が支払うべき交通反則金を法人が負担しているため、給与として計上されます。

その際の給与または賞与の源泉所得税は、法人が立替払いしていると考えられ、源泉所得税の納付時には立替金等として処理し、その後、その個人から徴収することが必要となります。

■交通違反に伴う徴収金の取扱い

レッカー代等については罰金には該当しないため、業務上必要であると認められる場合において、法人がその徴収金を負担することについて相当の理由があるときには、給与以外の経費として、必要経費に算入することは認められます。

■交通反則金共済の取扱い

交通反則金共済とは、簡単に言うと、入会金および年会費を支払うことにより交通違反を犯した場合の罰金の支払いを会員に代わって支払ってくれる制度です。

このような交通反則金の支払いを保証する交通反則金共済への入会金および年会費は、交通反則金と性質が似ているため、必要経費には算入されません。

Point

【交通反則金の取扱い】

開業医 ☞ 必要経費として算入できない。

医療法人 ☞ 1) 業務上の場合…損金の額に算入できない。

2) 業務上以外の場合…法人が負担した交通反則金は給与として扱う。

・使用人の肩代わり→給与

・役員の肩代わり→役員賞与

【レッカー代等の取扱い】

罰金とは異なるため、必要経費として算入できる。交通反則金共済の取扱共済にかかる入会金・年会費は、 必要経費として算入できない。

105 スタッフの学資金

病医院が授業料を負担し、節税とスタッフの能力向上を

節税効果 ☺☺☺☺☺
節税難易度 ☹☹☹☹☹

スタッフの学費を負担した場合には、原則としては、給与として源泉徴収する必要があります。

けれど、学資金のうち、業務に直接必要である技術や知識を習得させる、または免許や資格を取るための研修会や講習会に参加するための費用については、費用として適正である場合には、給与として源泉徴収しなくてもかまいません。

ケースによりますが、看護学生に貸与した奨学金を免除した場合の債務免除益についても課税しなくてもかまいません。

こうした費用の取扱いを踏まえて、従業員の能力向上を図るとともに、病医院で授業料を負担し節税につなげることも効果的です。

Point

スタッフの能力アップの環境づくりが節税にもつながるのです。

106 離婚にまつわる税金

土地・建物で財産分与したら、渡したほうに税金が課される

節税効果 ☺☺☺☺☺
節税難易度 ☹☹☹☹☹

節税対策ではありませんが、プライベートなご相談で意外と多い、離婚した場合の税金について解説をしておきます。

離婚件数は、厚生労働省人口動態統計資料によれば、年間の婚姻件数は約60万件ですから、下記のとおり、ほぼ3組に1組が離婚している計算です。

令和元年　208,496組
令和2年　212,928組
令和3年　194,576組

■離婚に伴う財産の授受について税金は？

さて、では離婚に伴って発生した財産の授受についての税金はどうなるのか、です。

まず、離婚によって相手方から財産をもらった場合には、通常、贈与税はかかりません。相手から贈与を受けたのではなく、慰謝料などの財産分与請求権に基づいてもらったことになるからです。

ただし、つぎの2つに当てはまる場合には贈与税がかかります。

①もらった財産の額が婚姻中の夫婦の協力によって得た財産の価額やその他の事情を考慮してもなお多すぎる場合

この場合には、多すぎる部分に贈与税がかかることになります。

②離婚が贈与税や相続税を免れるために行なわれたと認められた場合

この場合には、離婚によってもらった財産のすべてに贈与税がか

かります。

つぎは相手に財産を渡したときです。

①現金や預金で渡したとき

この場合、渡したほうに税金の問題は発生しません。

②土地・建物で渡した場合

財産分与が土地や建物で行なわれたときは、渡したほうには、渡したときの土地や建物などの時価を譲渡所得の収入金額とした 譲渡所得が課税されます。そして財産をもらった人は、もらった日の時価で土地や建物を取得したことになります。

譲渡所得＝
土地建物を売った金額（収入金額）－（取得費※1＋譲渡費用※2）

※1 取得費：買い入れた時の購入代金や購入手数料などの取得に要した金額に、その後支出した改良費、設備費を加えた合計額（建物の取得費は、減価償却費相当額を差し引いて計算します）
※2 譲渡費用：土地・建物を売るために支出した費用をいい、仲介手数料、測量費等です。

【例】配偶者に10年以上住んでいた自宅（慰謝料として妥当な価額：2,000万円）を渡した場合

もらった人　贈与税の問題はなし
渡した人　収入金額2,000万円－取得費等1,500万円＝500万円の譲渡所得となり、500万円×14.21％（税率）＝710,500円の税金を、入ってきたお金がないにも関わらず支払うことになります。

※ただし財産の渡し方によっては節税できる方法がありますので、ぜひ税金の専門家にご相談ください。

107 補助金の活用

設備投資の前に補助金を活用できるか検討しよう

節税効果 ☺☺☺☺☺
節税難易度 ☹☹☹☹☹

■補助金は返済しなくてよいが審査がある

補助金とは、事業者の取組みをサポートするために資金の一部を給付するものです。国や自治体の政策目標(目指す姿)に合わせて、さまざまな分野で募集されています。それぞれの補助金の「目的・趣旨」を確認し、自分の事業とマッチする補助金を見つけましょう。

補助金は必ずしもすべての経費がもらえるわけではありません。事前に補助対象となる経費・補助の割合や上限額などの確認が必要です。融資ではありませんから返済の必要はないのですが、「申請すれば必ずもらえる」というものではありません。審査があります。

補助の有無や金額は「事前の審査」と「事後の検査」によって決まります。また、補助金は原則、後払い(精算払い)なので、事業実施後に必要書類を提出し検査を受けたうえで受け取ることになります。

■補助金申請によるメリット

1. キャッシュフロー改善

原則返済不要な資金を得られるため、事業遂行にあたりリスクを軽減することができます。

2. 第三者による事業計画書の評価

申請にあたり事業計画書を作成することになります。申請する事業の見直しができるとともに、事前に第三者からの評価を受けることができるため、事業の実現性を高めることができます。

■補助金の申請から交付まで

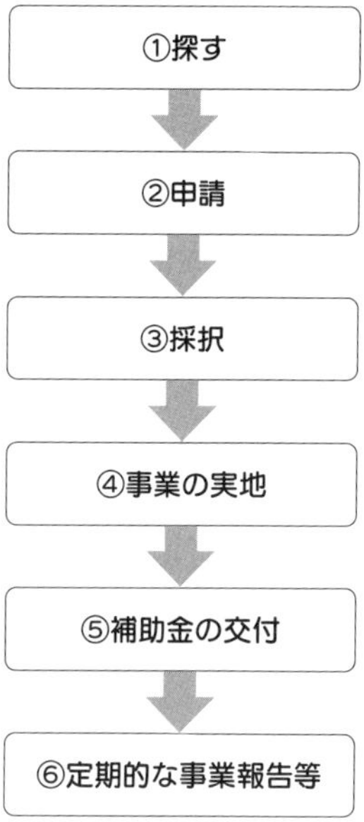

①探す → ②申請 → ③採択 → ④事業の実地 → ⑤補助金の交付 → ⑥定期的な事業報告等

①探す

補助金は国や自治体の政策ごとにさまざまな分野で募集されています。まず、自分の事業とマッチする補助金を探しましょう。

②申請

申請したい補助金が見つかれば、公募要領や申請書を確認のうえ、必要資料一式を事務局へ提出します。事業計画書の作成には事前の準備や手間もかかるため税理士や専門家に作成を依頼することをお勧めします。

③採択

採択事業者が決定され結果が事務局から通知されます。採択後は補助金を受けるための手続き（交付申請）が必要となります。その内容が認められたら交付決定（補助事業の開始）となります。

④事業の実施

交付決定された内容で事業をスタートさせます。状況に応じて事業内容の変更が認められるケースもありますが、事前に所定の手続きが必要となります。

⑤補助金の交付

実施した事業の内容や経費を事務局へ報告します。事業計画どおり正しく実施されたことが確認されると補助金額が確定し、補助金を受け取ることができます。

⑥定期的な事業報告等

補助金の交付後も正しく事業が実施されているかどうか定期的な事業報告が必要となります。また、状況に応じて一部返納である収益納付が必要となる場合があります。

■国の主な補助金

2022年1月時点で申請可能な国の補助金の主なものは以下のとおりです。すべての事業主が申請できるわけではありません。個人診療所や医療法人は申請できない補助金もありますから注意が必要です。

	個人事業主（医業）	医療法人	一般法人（MS法人）
持続化補助金	×	×	○
IT導入補助金	○	○	○
ものづくり補助金	○	×	○
事業再構築補助金	○	×	○

※その他各自治体が実施する補助金もあります。詳細は各自治体の情報をご確認ください。

主な補助金の具体的な内容について説明しておきます。なお、すべて2022年1月時点での情報をもとに記載しておりますので、ご了承ください。

・持続化補助金

小規模事業者が行なう販路開拓や生産性向上の取組みに要する経費の一部を支援する制度です。主な補助対象経費は「店舗改装」「チラシ作成」「広告掲載」等となります。

この補助金は「一般型」と「低感染リスク型ビジネス枠」の２種類があり、それぞれ補助金額の上限と補助率が異なります。

	補助金額上限	補助率
一般型	50万円	2/3
低感染リスク型ビジネス枠	100万円	3/4

医業を営む個人診療所や医療法人は申請対象外となっているため、医業とは関係のない個人事業主や法人格での申請が必要となります。

・ＩＴ導入補助金

自院の課題やニーズに合ったＩＴツールを導入する経費の一部を補助する制度です。

主な補助対象経費は「ソフトウエア費」「導入関連費」「ハードウエアレンタル費（低感染リスク型ビジネス枠のみ対象）」です。
この補助金は「一般型Ａ・Ｂ類型」「低感染リスク型ビジネス枠Ｃ・Ｄ類型」の２種類があり、それぞれ補助金の上限と補助率が異なります。

	補助金額下限・上限	補助率
一般型　A類型	30万円～150万円	1/2
一般型　B類型	150万円～450万円	1/2
低感染リスク型ビジネス枠　C類型	30万円～450万円	2/3
低感染リスク型ビジネス枠　D類型	30万円～150万円	2/3

個人診療所や医療法人でも申請できる補助金となっていますが、申請にあたりＩＴ導入支援事業者（ＩＴベンダー・サービス事業者）のサポートが必要不可欠となります。事前にＩＴツール導入予定の業者に相談されることが重要です。

・ものづくり補助金

生産性向上に資する革新的サービス開発・試作品開発・生産プロセスの改善を行なうための設備投資を支援する制度です。具体的には「新商品の開発」「新たな生産方式の導入」「新役務（サービス）の開発」「新たな提供方式の導入」等が想定されます。主な補助対象経費は「機械装置・システム費」「技術導入費」「専門家経費」「運搬費」等々となります。

	補助率
通常枠	1/2
通常枠（小規模事業者）	2/3
低感染リスク型ビジネス枠	2/3

生産性向上を目的とした先端設備の導入も対象となります。医療法人での申請はできませんが、個人診療所での申請は可能です。高額な医療機器を導入される予定がある場合は申請可能となります。

・事業再構築補助金

「新分野展開」「業態転換」「事業・業種転換」「事業再編」またはこれらの取組みを通じた規模の拡大等、思い切った事業再構築を支援する制度です。

主な補助対象経費は「建物費」「機械装置・システム費」「技術導入費」「専門家経費」「運搬費」等々となります。

	補助金額	補助率
通常枠	100万～8,000万円	2/3（補助金額に応じて、一部補助率変更）
卒業枠	6,000万～1億円	2/3（中小企業のみ）
グローバルV字回復枠	8,000万～1億円	1/2（中堅企業のみ）
緊急事態宣言特別枠	100万～1,500万円	中小企業は3/4・中堅企業は2/3
最低賃金枠	100万～1,500万円	中小企業は3/4・中堅企業は2/3
大規模賃金引上枠	8,000万～1億円	中小企業は2/3・中堅企業は1/2（補助金額に応じて、一部補助率変更）

補助金額がほかの補助金と比較して高くなる一方、売上高減少や従業員要件などの要件が厳しくなるだけでなく、採択率も高くありません。ハードルが高い補助金となりますが、思い切った事業変更や高額な設備投資が必要となる新規事業を検討されている場合はご一考ください。また、上述の通り医療法人（社会医療法人を除く）は申請対象外となるので、ご注意下さい。

Point

・補助金は融資と異なり、原則返済不要です。
・補助金に応じて、申請要件、補助対象、補助上限額、補助率が異なるので、申請前に十分な確認が必要です。
・医療法人や個人事業主（医業）が申請できない補助金が一部あるので、ご注意ください。

108 電子取引

電子取引については紙での保存だけだと思わぬ不利益が?!

節税効果
☺☺☺☺☺
節税難易度
☹☹☹☹☹

■電子取引とは

電子取引とは取引情報（請求書や領収書等に通常記載される日付、取引先、金額等）の授受を電磁的方式により行なう取引をいいます。具体的には次のデータの授受等が電子取引に該当します。

・電子メールにより受領した請求書や領収書等のデータ
・インターネットのホームページからダウンロードした請求書や領収書等のデータ（ＰＤＦファイル等）またはホームページ上に表示される請求書や領収書等を画面印刷したデータ
・クラウドサービスを利用して受領した電子請求書や電子領収書等のデータ
・クレジットカードの利用明細データ、交通系ＩＣカードによる支払データ、スマートフォンアプリによる決済データ
・特定の取引に係るＥＤＩシステムを利用したデータ
・ペーパレス化されたＦＡＸ機能をもつ複合機を利用したデータ
・ＤＶＤ等の記録媒体を介して受領した請求書や領収書等のデータ

電子取引のイメージ図

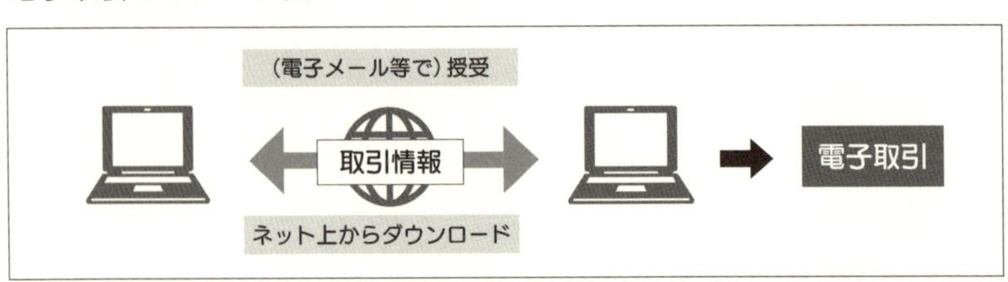

（出典：国税庁パンフレット）

所得税法および法人税法では、取引に関して相手方から受け取った請求書・領収書等や、相手方に交付したこれらの書類の写しの保存義務が定められています。

これらの書類を電子取引により授受した場合には、その取引情報を電磁的記録によって保存しなければなりません。

電磁的記録による保存とは、電子メール本文に取引情報が記載されている場合は当該電子メールを、電子メールの添付ファイルにより取引情報（領収書等）が授受された場合は当該添付ファイルを、それぞれハードディスク、コンパクトディスク、ＤＶＤ、磁気テープ、クラウド（ストレージ）サービス等に記録・保存することをいいます。

これまでは電子取引により授受した書類は書面出力をして保存する方法も認められていましたが、令和４年１月１日以降に授受した書類については、書面出力ではなく、一定の要件を満たしたうえでの電磁的記録による保存が義務付けられました。

■準備が間に合わない場合はどうする？

令和４年１月１日から令和５年12月31日までの間に授受した電子データについては、納税地の所轄税務署長がやむを得ない事情があると認め、税務調査等の際に書類の提示または提出ができるようにしている場合には、従前どおりその電子データを書面に出力して保存する方法が認められます。この取扱いを受けるにあたり、税務署への事前申請等の手続は必要ありません。

ただし令和６年１月１日以後に授受する電子データについては、保存要件に従って保存されていない場合は、青色申告の承認の取消しを検討をされる可能性があります。

■保存の要件

電子取引の取引情報を電磁的記録により保存等するにあたっては、

真実性や可視性を確保するため、以下の要件を満たす必要があります。

- 電子計算機処理システムの概要を記載した書類の備え付け（自社開発のプログラムを使用する場合に限る）
- 見読可能装置備え付け等
- 検索機能の確保
- 次のいずれかの措置を行なう
  ①タイムスタンプが付された後の授受
  ②原則、速やかにタイムスタンプを付す
  ③データの訂正削除を行なった場合にその記録が残るシステムまたは訂正削除ができないシステムを利用
  ④訂正削除の防止に関する事務処理規定の備え付け

■具体的にはどうすればいいのか？

それでは具体的な保存方法について例を見ていきましょう。

【例】

202□（令和△）年4月1日に仕入れの相手方〇〇株式会社から500,000円の請求書（PDFファイル）が添付されたメールが届いた。

一般的なパソコンを使用していてプリンタも所有しているが、特別な請求書等保存ソフトは使用していない。

1. 請求書（ＰＤＦファイル）のファイル名に、規則性をもって内容（日付・取引先・金額等）を表示する
   →「202□0401_〇〇株式会社_500000」
2. 「仕入れの相手先」や「各月」など任意のフォルダに保存する
3. 訂正削除の防止に関する事務処理規定を作成し、院内に保管しておく

日付は、和暦・西暦のどちらでもかまいません。ただし、混在すると検索の妨げとなるためどちらかに統一が必要です。

また、税務調査の際に税務職員からデータの提出を求められた場合にはデータの提出が必要です。

猶予期間は設けられましたが令和６年１月１日以後に授受する電子データについては、保存要件に従って保存されていない場合は青色申告の承認の取消しなど思わぬ不利益を被る可能性があるため、猶予期間のあいだに要件を満たすことができるよう準備を進めることが必要です。

Point

- 該当する取引（請求書をPDFで受け取っている、ECサイトでよく物品を購入する）がないか確認しましょう
- システムの導入または事務処理規定の備え付けを検討しましょう

109 インボイス制度への対応

医療機関でもインボイス制度への対応が必要になるケースがある

節税効果 ☺☺☺☺☺（5段階中3）
節税難易度 ☹☹☹☹☹（5段階中1）

最近よく耳にするようになった「インボイス」についてご存知でしょうか。その概要と医療機関における影響について見ていきましょう。

■インボイス制度とは

インボイス制度は、正式には、「適格請求書等保存法式」といいます。「適格請求書」がインボイスです。これは売手が買手に対して正確な適用税率や消費税額等を伝えるためのもので、現行の区分記載請求書の要件に加えて「登録番号」「適用税率」および「税率ごとに区分した消費税額等」を記載する必要があります。

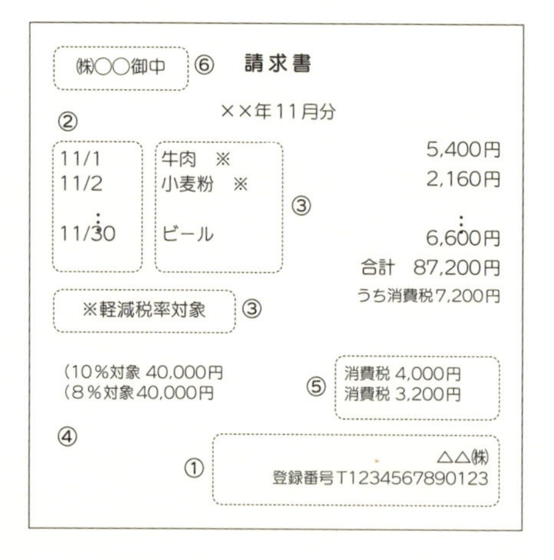
㈱○○御中 ⑥　請求書

××年11月分

②

取引年月日	取引内容	金額
11/1	牛肉　※	5,400円
11/2	小麦粉　※	2,160円
⋮	③	⋮
11/30	ビール	6,600円
	合計	87,200円
		うち消費税7,200円

※軽減税率対象 ③

（10％対象 40,000円　⑤ 消費税 4,000円
（8％対象 40,000円　　消費税 3,200円

④

① △△㈱
登録番号T1234567890123

以下の下線をつけた事項が、区分記載請求書に追加記載すべき事項です。

① 適格請求書発行事業者の氏名または名称および登録番号
② 取引年月日
③ 取引内容（軽減税率の対象品目である旨）
④ 税率ごとに区分して合計した対価の額（税抜きまたは税込み）および適用税率

⑤ 消費税額等（端数処理は1請求書当たり税率ごとに1回ずつ）
⑥ 書類の交付を受ける事業者の氏名または名称
※下線の項目が現行の区分記載請求書の記載事項に追加される事項です。

■インボイス制度の概要

令和5年10月1日から、消費税の仕入税額控除を適用するには帳簿保存とインボイスの保存が必要となります。取引の相手方からインボイスが発行されなければ仕入税額控除の適用がありません。

インボイスを発行できるのは適格請求書発行事業者のみで、税務署に登録が必要です。登録には時間を要しますから事前に準備をしておく必要があります。

適格請求書発行事業者となるには課税事業者であることが必要です。消費税の免税事業者（前々年の自費診療など消費税の課税対象となる売上が年1,000万円以下の事業者等）にとっては、課税事業者になるのかどうかの選択を迫られることになります。

■医療機関における影響

医療機関の場合、社会保険診療収入は消費税非課税のためインボイスの発行を求められることはあまりないでしょう。ただ、健康診断や予防接種等についてはインボイスの発行を求められる可能性がありますので、医療機関としてどのように対応するかを決める必要があります。

1. 免税事業者のままの医療機関への影響

メリット

・消費税の納付義務がない

デメリット

・これまで請求していた消費税分の請求について検討が必要
・課税事業者である取引先が人間ドッグ等健康診断や予防接種等の自

費診療に係る費用を経費とする場合、免税事業者のままの医療機関ではインボイスの発行ができず、その取引先は仕入税額控除の適用がない

そのためインボイスを交付できる医療機関に健康診断・予防接種等を委託することが想定されます。

2. 消費税の課税事業者を選択もしくは課税事業者である医療機関への影響

メリット

・インボイスの発行ができるため取引先において仕入税額控除の適用がある

・免税事業者のままの医療機関ではインボイスの発行ができないため、健康診断や予防接種等の受け皿となる可能性がある

デメリット

・インボイス発行にあたり事務負担が増加する可能性がある

・消費税の課税対象となる売上が1,000万円以下であっても消費税の納税義務がでてくる

・医療機関が買手側の場合、取引先によってインボイスの発行ができない事業者もあるため医療機関側で仕入税額控除の適用がある

消費税の仕入税額控除の計算において簡易課税制度を採用する場合は、このデメリットは生じません。

・医療機関がインボイスを受け取る場合、追記はＮＧのため、不備がある場合は再発行してもらう必要がある

消費税課税事業者にとっては欠かせない書類となるため、取引先に対してインボイスの発行を求めるのが今後の流れになっていくと思われます。

■経過措置

令和11年9月末までの6年間は、インボイスがなくても下表のとおり一定の割合について仕入税額控除の適用があります。

期間	インボイスのない場合の課税仕入れの控除割合
令和5年9月まで（現状）	100％
令和5年10月～令和8年9月末	80％
令和8年10月～令和11年9月末	50％
令和11年10月以降	0％

経過措置の適用には、一定の請求書の保存と経過措置の適用を受ける旨を記載した帳簿の保存が必要となります。

Point

- ＭＳ法人との取引においても、医療機関が仕入税額控除の適用を受けるためには、ＭＳ法人が適格請求書発行事業者である必要があります。
- 事業形態によりインボイス制度に対する対応が異なりますので、顧問の税理士と相談されることがいちばんの節税対策になると思われます。
- 課税事業者となるべきか判断に迷われる場合は、経過措置の期間中に、取引先の動向や要望を踏まえたうえで判断するのも一つの手段です。

税理士法人　和

税理士法人 和（なごみ）は、平成 4 年創業、本社は大阪市中央区。東京都千代田区に支社。クライアント数、約 1000 件。医業経営コンサルタント協会会員、TKC 医業・会計システム研究会会員、TKC 全国会資産対策研究会会員、日本 M&A センター理事会員、JPBM 医業経営部会会員、一般社団法人メディカルスタディ協会監事。

地区医師会の顧問や医療機関へのアドバイス等の医業経営コンサルティングと、出資持分のない医療法人への移行などの事業・財産承継を中心とした資産税コンサルティングに強みを持ったサービスを提供している。

厚生労働省委託事業や金融機関等でのセミナー講演は年間 40 回以上にのぼる。

主な著書に『ドクターのための医院の財産承継＆相続パーフェクト・マニュアル』（弊社刊）ほか多数。

執筆者

税理士　　岡本　泰彦
税理士　　樋上　智之
税理士　　岡野　正治
税理士　　髙松　　仁
税理士　　原田　博子
税理士　　川尻久実代
税理士　　吉田　　葵
税理士　　竹本　彰久
税理士法人 和　医業経営支援事業部

社会保険労務士法人　和

社会保険労務士法人 和（なごみ）は、昭和 63 年創業、平成 21 年法人化。本社は大阪市中央区、東京都千代田区に東京オフィス、大阪府摂津市に北摂オフィス。労働保険事務組合一般社団法人 和併設。

日本人事労務コンサルタント特別会員。

病院、クリニックをはじめ多数の企業に人事労務サービスを展開。

医院開業時には採用支援・労務管理・給与計算等をまとめた「開業支援パッケージ」を提供するなど、ドクターの開業に関する不安を解消するツールを提供している。なかでもスタッフに院内ルールを定着させるための「就業ハンドブック」は、イラストや図式を挿入し、口語調で親しみやすいと定評がある。

平成 27 年 11 月プライバシーマーク取得。

令和 4 年 3 月「健康経営優良法人 2022」の認定を取得。クライアントに対し、認定を取得するためのアドバイスを行なっている。

執筆者

社会保険労務士　床田　知志
社会保険労務士　岡野恵美子
特定社会保険労務士　高落　聡子
社会保険労務士　大北　一
特定社会保険労務士　根本　真代
社会保険労務士　畑田　豊晴

開業医・医療法人……すべてのドクターのための
節税対策パーフェクト・マニュアル 増補改訂2版

2022年 9月17日　　第1刷発行

著　者　　税理士法人　和
　　　　　社会保険労務士法人　和
発行者　　徳留慶太郎
発行所　　株式会社すばる舎
　　　　　〒170-0013　東京都豊島区東池袋3-9-7　東池袋織本ビル
　　　　　TEL 03-3981-8651（代表）
　　　　　　　03-3981-0767（営業部直通）
　　　　　http://www.subarusya.jp/
印　刷　　ベクトル印刷株式会社

落丁・乱丁本はお取り替えいたします。

ISBN978-4-7991-1070-6